ASPECTS DE LA LITTÉRATURE QUÉBÉCOISE

LIVRES DE GUY ROBERT

Poèmes

Broussailles givrées (épuisé)
72 pages, Editions Goglin, Montréal, 1959

Et le soleil a chaviré
60 pages, Librairie Déom, Montréal, 1963

Neige de mai, in "Littérature du Québec" (épuisé)
p. 226 à 255, Librairie Déom, Montreal, 1964

L'eau et la pierre, lithographies de Roland Pichet (épuisé)
Montréal, 1964

Une mémoire déjà, (1959-1967)
100 pages, Editions Garneau, Québec, 1968

Ailleurs se tisse, poèmes à variantes mobiles
92 pages, Editions Garneau, Québec, 1969

Québec se meurt
96 pages, Editions du Songe, Montréal, 1969

Intrême-Orient, gravures de Monique Charbonneau
Editions du Songe, Montréal, 1969

Trans-Apparence, gravures de Berto Lardera
Editions du Songe, Montréal, 1969

Essais

Vers un humanisme contemporain (épuisé)
48 pages, Montréal, 1958

La poétique du songe, Introduction à l'œuvre de Anne Hébert
128 pages, Cahiers de l'AGEUM, Université de Montréal, 1962

Connaissance nouvelle de l'art, Préface de René Huyghe (épuisé)
272 pages, Librairie Déom, Montréal, 1963

Edition critique de *Objets retrouvés*
poèmes et proses de Sylvain Garneau,
336 pages, Librairie Déom, Montréal, 1965

Littérature du Québec: Poésie actuelle (2e édition)
408 pages, Librairie Déom, Montréal, 1970

Aspects de la littérature québécoise
192 pages, Beauchemin, Montréal, 1970

Livres d'art illustrés

Pellan, Sa vie et son œuvre, His Life and his Art
136 pages, C.P.P., Montréal, 1963

Ecole de Montréal, Situation et tendances, Situation and Trends
152 pages, C.P.P., Montréal, 1964

Robert Roussil, monographie
64 pages, Musée d'art contemporain, Montréal, 1965

Symposium International de sculpture du Québec 1965
56 pages, Musée d'art contemporain, Montréal, 1966

Sculpture, Introduction à la sculpture moderne (épuisé)
Introduction to modern sculpture
128 pages, Expo 67, Montréal, 1967

Jean-Paul Lemieux, ou la poétique de la souvenance
140 pages, Editions Garneau, Québec, 1968

Jérôme, un frère jazzé
92 pages, Editions du Songe, Montréal, 1969

Le su et le tu, récit symbolique
96 pages, Editions du Songe, Montréal, 1969

Riopelle, ou la poétique du geste
220 pages, Editions de l'Homme, Montréal, 1970

Guy Robert

ASPECTS DE LA LITTÉRATURE QUÉBÉCOISE

BEAUCHEMIN
450, AVENUE BEAUMONT, MONTRÉAL

Le Ministère des Affaires culturelles du Québec a accordé son aide pour l'édition de ce livre

Couverture et maquettes de l'auteur

Dépôt légal, 3e trimestre,
Bibliothèque Nationale du Québec, 1970
Librairie Beauchemin Limitée

AVERTISSEMENT

La littérature « sérieuse » commence quand on la fait précéder d'un *Avertissement,* me dirait un étudiant à qui j'aurais réussi à communiquer à la fois le virus de l'esprit critique et le vaccin de l'ironie...

A le dire comme cela se trouve, le propos du présent livre est bien simple, puisqu'il réunit, sous le titre d'*Aspects de la littérature québécoise,* quelques textes écrits pendant les dix dernières années, et dont certains ont déjà été publiés dans des journaux ou revues. Tous les textes ont été retouchés, complétés, et parfois refondus pour la présente édition, et le motif de leur voisinage consiste seulement à les rendre accessibles.

Si la poésie occupe la plus grande place, en proposant des jalons[1] plus continus, le roman et le théâtre ne sont pas éliminés pour autant, ni quelques problèmes plus généraux, comme ceux du colonialisme ou de la langue.

G. R., *juillet 1970*

[1] Pour prolonger ces jalons, sur la poésie, on me permettra de signaler ma thèse sur Anne Hébert, *La poétique du songe,* publiée à l'Université de Montréal en 1962; l'édition critique des œuvres de Sylvain Garneau, *Objets retrouvés,* Déom, 1965; le choix thématique de Rina Lasnier, *La part du feu,* Editions du Songe, 1970; la nouvelle édition de *Poésie actuelle,* Déom, 1970; et *Livres et auteurs canadiens (québécois),* où j'ai animé, de 1962 à 1969, la section Poésie.

I

ENTRE LA FICTION ET LA RÉALITÉ

UNE LITTÉRATURE OU DES ÉCRIVAINS[1]

On dit que la littérature du Québec a ceci de curieux, qu'elle n'est pas littéraire : une littérature non littéraire, en mettant entre guillemets le mot « littéraire », possède l'avantage de n'être pas trop précieuse, recherchée, artificielle ; mais elle souffre d'une grave lacune, celle de n'être pas dans l'ordre de la qualité. Si nous entendons par *littéraire* la qualité artistique, poétique, d'une œuvre écrite, nous comprenons par là que cette dimension lui permet de dépasser le contexte premier de son élaboration, pour atteindre à un palier supérieur, celui de l'œuvre d'art. Mais l'œuvre d'art ne se situe pas dans un milieu éthéré, idéalisé, aseptique : l'œuvre d'art se situe dans un espace-milieu

[1] Ce texte est d'abord paru dans la revue *Maintenant*, Montréal, décembre, 1963; puis en première introduction à *Littérature du Québec*, tome 1, Librairie Déom, Montréal, 1964. Il a été retouché et annoté en 1969.

(H. Focillon) accueillant, ouvert, sensible et signifiant.

Nous n'oublions pas la dimension sociologique de la littérature, qui ne saurait concrètement exister sans le réseau des éditeurs-distributeurs-libraires (toujours en continuelles réadaptations, selon les circonstances mouvantes d'une société vivante) ; sans la publicité qui est information et propagande ; sans le public et les bibliothèques plus ou moins dynamiques. Mais cette dimension sociologique ne qualifie pas le monde du livre, elle ne constitue qu'une structure concrète, celle de la circulation de l'imprimé. Ce que nous voulons examiner, c'est le fait de trouver des livres, des écrivains, sans *littérature* ; nous le ferons en étudiant certains problèmes : l'autonomie de la langue et quelques-uns de nos complexes en rapport avec le bilinguisme, le colonialisme, le chef-d'œuvre, le régionalisme, l'engagement.

UNE LANGUE AUTONOME

Il ne s'agit pas ici de réduire la littérature à des questions de lexique ou de syntaxe de puristes, à des questions de stylistique élégante et contorsionnée. Il se trouve un fait difficilement contestable : pour développer une littérature autonome et distincte, il faut posséder l'outil adéquat, qui est une langue autonome, différenciée ; une langue nouvelle peut seule amener une littérature nouvelle. A partir de centaines de dialectes boiteux et d'une langue latine dégénérée, on a vu à la fin du Moyen Age se développer des langues de plus en plus structurées et différenciées : l'italien, le français, l'espagnol, l'anglais, l'allemand. Des échanges et des remaniements venaient continuellement, au long des siècles, faire évoluer ces langues différentes. Il est long d'élaborer une langue, une nation, une littérature, ces trois phénomènes étant intimement mêlés. Une langue constitue un fait vivant, qui naît, vit, s'enrichit et s'affaiblit, meurt, avec le groupe ethnique, la civilisation dont elle constitue le principal élément de cohésion : la langue devient l'outil de formation de l'âme nationale.

Nous pouvons rapidement examiner la situation linguistique du Québec, et souligner d'abord un fait d'ordre géographique et démographique : il se trouve en Amérique du Nord une pression linguistique énorme, celle du groupe anglophone (si nous ne tenons pas compte des variantes secondaires entre l'anglais, l'anglais-canadien, et l'américain), qui s'exerce *contre* tous les autres groupes linguistiques minoritaires ; en gros, plus de 220 millions d'anglophones *contre* 4 millions de francophones ; 4 millions de francophones qui sont pour la moitié bilingues (ici, « bilingue » signifie : qui connaît l'anglais et le français ; et non pas, comme cela se trouve généralement ailleurs : qui connaît sa langue maternelle et une autre langue ; au Canada, l'*autre* langue, c'est le français, et *la* langue, c'est l'anglais) ; 4 millions de francophones, dont la langue française, parlée et écrite, ne brille pas toujours par sa pureté, par son exactitude, par sa grâce.

Les francophones du Québec possèdent, pour une bonne part, un langage français-canadien, comparable au français-belge ou au français-suisse, à cette double réserve près, que nous ne sommes pas des voisins immédiats de la France (en conséquence, notre fidélité au français-national est moins facilement rajustée), et que nous sommes isolés au milieu d'une masse anglophone particulièrement pressante. Le français-canadien est un dialecte (i.e. l'application régionale d'une langue : le marseillais, le parisien sont aussi des dialectes) qui a ses faiblesses et ses valeurs, et qui en vaut bien d'autres. Il pourrait facilement être purifié et rectifié, et ainsi se rapprocher du français-international (i.e. le français théorique, idéalisé, d'une correction aussi admirable que dépouillée de toutes impuretés symptomatiques qui constituent justement la saveur de la langue maternelle, bien marquée au coin de son régionalisme affectif). Plusieurs francophones du Québec ont la réputation d'être bien près du français-international, et cela se trouve, entre autres endroits, à Radio-Canada (au début, on y pratique souvent un français-à-la-parisienne ; puis, après un certain temps, on laisse tomber les jeux de la prétention, et on s'oublie à pratiquer un français correct et exact, qui est un visage exemplaire du français-international). Il se trouve inévitablement des écarts par rapport à la zone moyenne, celle du français-canadien du Québec : le franglais, le « joual », et autres variantes de dégénérescence linguistique ; nous ne nous arrêtons pas ici à ces incartades, dont l'une pourrait toutefois peut-être se trouver à la source d'une langue[2] qui connaîtrait son apothéose dans un ou deux siècles : il y a, dans le présent, trop de problèmes qui nous sollicitent, et nous considérerions comme désertion, le fait de nous épuiser en conjectures divinatoires à propos d'hypothèses inédites, que d'aucuns qualifieraient d'utopiques.

Et pourtant, nous disions bien qu'il ne saurait y avoir littérature nouvelle sans langue nouvelle ? Nous exigeons plus que des écrivains canadiens s'exprimant en français, et donc soumis aux éva-

[2] L'expérience d'écriture *jouale* a fourni quelques remous remarquables, comme *Le cassé* (1964) de Jacques Renaud, ou *Ma chienne de vie* (1964) de Jean-Guy Labrosse. Mais le phénomène en circuit fermé d'écriture-lecture semble étrangler quelque peu le *joual*, qui s'ébroue avec beaucoup plus de conviction et d'haleine sur scène, comme dans l'admirable *Les belles-sœurs* (1968) de Michel Tremblay.

luations françaises. Nous exigeons une littérature autonome, une littérature du Québec. Nous aurons une littérature du Québec, différente des littératures de la France, de la Suède, de l'Angleterre, du Japon, quand nous aurons une langue, instrument littéraire fondamental, différente de celles de la France, de la Suède, de l'Angleterre, du Japon.

L'ÉCRAN DU BILINGUISME

Et nous voici introduits à l'examen de notre situation linguistique ; pour l'écrivain, sa langue devient l'outil qui lui permet d'abord de penser, ensuite de s'exprimer, et finalement de communiquer. Mais l'écrivain francophone du Québec se voit empêché d'user librement de cet outil par deux séries d'obstacles : l'écran du bilinguisme, celui du colonialisme.

L'écran du bilinguisme se décrit dans la situation géographique et démographique du Québec en Amérique du Nord : rappelons la pression des 220 millions d'anglophones tout autour et même dans le minuscule réservoir de 4 millions de francophones. Et surtout, qu'on n'évoque pas la frontière entre le Canada et les Etats-Unis ; nous tenons compte ici, mais implicitement, de la politique, de l'économie, de la télévision, du cinéma, de tout ce qui constitue les réseaux d'échanges qui obéissent aux lois des pressions : même dans une perspective de bon voisinage, la force a tendance à l'emporter sur la faiblesse, la majorité sur la minorité. D'ailleurs, si la frontière Canada — Etats-Unis était logique, elle irait, selon la disposition géographique naturelle, dans le sens nord-sud, et non dans le sens est-ouest, la différentiation régionale naturelle s'établissant en Amérique du Nord selon des bandes dans le sens nord-sud. L'histoire, les siècles nous le prouvent copieusement, finit presque toujours par se plier aux impératifs de la géographie, dont de grands hommes distraits ne se soucient guère aux moments solennels des signatures de traités. Est-ce à dire que le Canada, fatalement dans l'optique géographique, serait annexé tôt ou tard aux U.S.A. ? – 1776 ne prouve rien ; il y aura l'an 2000, puis l'an 2500. La récente fièvre séparatiste continue celles de 1713, de 1763, de 1775, de 1837, de 1867, de 1915, de 1940... Et pourtant, tout le monde parle de « civilisation internationale », de « français international », d'esperanto, d'UNESCO...

Revenons au bilinguisme, dans le sens précis de ce mot au Québec : au Canada, tout le monde connaît l'anglais, moins une minorité qui connaît aussi le français ; au Québec, la majorité connaît l'anglais et le français, une minorité ne connaît que le français, ou que l'anglais. Mais la priorité s'accorde partout au Canada à l'anglais. Il ne s'agit donc pas véritablement d'un bilinguisme (connaître sa langue maternelle, et une autre langue au choix) ; ni même d'un bilinguisme restreint (connaître deux langues dites officielles dans un pays donné) ; il s'agit d'une tolérance diplomatique et décorative, de la part de la majorité, d'une langue seconde pour ceux qui en ont le goût. Et ce ne sont pas quelques déclarations plus ou moins récentes qui changent quoi que ce soit à ces faits.

Le bilinguisme québécois ainsi compris place notre langue maternelle dans une position inconfortable et incertaine, dans le contexte général du pays, et surtout dans celui du continent nord-américain : une langue maternelle pressurée et noyée dans l'officialité et l'efficacité de la langue de la majorité (qui se trouve être aussi, à titre de langue seconde au pays du Québec pour les francophones, langue d'affaires, outil de communication sinon d'expression).

Nous pourrions sans doute reprendre une distinction précédente, et dire qu'au niveau de la pensée et de l'expression, l'écrivain francophone du Québec utilise la langue française, et que là se trouve l'essentiel, le sacré, le profond ; et qu'il n'utilise la langue anglaise qu'à titre d'outil-communication, pour répondre aux exigences impératives des échanges avec le contexte *canadian* et étatsunien ; c'est là du mercantilisme, du pragmatisme, du vulgaire « gagner sa vie » ou « faire des affaires » ; cela n'a rien à voir avec le contexte hautement culturel réservé à la langue française. Certes, mais pour vivre, ou *survivre*, il faut se résigner à « gagner sa vie », et là où l'on se trouve, en Amérique du Nord, où il y a 220 millions d'anglophones et 4 millions de francophones. Nous sommes des Américains du Nord vivant une canadianitude théorique et défendant la conservation d'une langue marginale.

Bilinguisme, biculturalisme ? Plus exactement, dualité ethnique, car il ne faut pas oublier la présence efficace de l'anglophonie (plus de 30%, dont la moitié ne connaît *pas* le français) au sein même de la francophonie du Québec. Et nous ne trouvons pas la situation inverse, qui permettrait d'équilibrer la pression : les minorités francophones hors du Québec sont inefficaces, et ne réussissent à subsister que par une résistance épuisante, que par le recours continu à la langue anglaise. C'est donc avouer que le français, langue maternelle, devient véritablement langue seconde, même au Québec ? Tout ceci, se ramène à un jeu d'équilibre démographique : or, rien n'empêche que, dans deux ou trois générations, l'anglophonie ne l'emporte en nombre (ou en pouvoir politique, ce qui aurait le même résultat), sur la francophonie au Québec. Qu'alors y faire ? Bouter les Anglais dehors de la France d'Amérique, comme jadis et ailleurs la Pucelle d'Orléans ? Faire ce qu'on a fait au Mexique vers 1948, et imposer la langue nationale partout au Québec ?

Mais 4 millions de francophones, bien qu'ils soient entourés et pressés par 220 millions d'anglophones, constituent une « masse » viable. La perspective d'une bonne entente fraternelle, d'une collaboration de bon voisinage, d'une compréhension mutuelle ne voudrait-elle pas concrètement dire, en gros, que les francophones doivent comprendre l'attitude cavalière des anglophones majoritaires, qui ne veulent pas comprendre la résistance inouïe de leurs voisins minoritaires. N'est-ce pas là, en somme, la thèse du bi-culturalisme ? Nous pouvons rêver, longuement et voluptueusement, à cette admirable canadianitude, mais si nous voulons expliquer nos rêves, nous devrons le faire en anglais.

Telle est la source de la dualité ethnique : la cohabitation sur un territoire réparti inégalement (n'oublions pas la géographie, ni l'histoire), de deux groupes humains ayant chacun un ensemble de caractéristiques propres, dont celle de la langue. Cette dualité ethnique, qu'il ne faudrait pas considérer comme un *duel* (même pas ... malgré les escarmouches inévitables, et les rancunes héridItaires), ni comme un mariage (on sait que les mariages mixtes entraînent souvent des conversions, et qu'il n'est pas de conversion sans apostasie) ; cette dualité ethnique entraîne la dualité culturelle, ou juxtaposition sans compréhension, la compréhension menaçant de devenir pour nous réduction.

L'ÉCRAN DU COLONIALISME

Et notre dualité culturelle possède cette générosité d'une double dimension ; après l'écran du bilinguisme, celui du colonialisme. — Nous reconnaissons que la dualité culturelle (juxtaposition, et donc inévitablement opposition du moins partielle, entre les « Canadiens » et les « Canadians », dans le contexte nord-américain) ne disparaîtra pas, à moins que la francophonie disparaisse : et Dieu nous protège d'une telle infamie, d'une telle apocalypse (allusion à la faillite d'une thèse qui a été pour nous ferment de résistance et de survivance, celle du messianisme français-catholique en pays d'anglophonie protestante).

L'écran du colonialisme. – Un peuple qui fait pendant deux siècles ses valeurs principales de la survivance et de la résistance peut réussir à survivre et à résister, mais là s'épuiseront ses énergies et là se borneront ses conquêtes. Epuisés que nous étions à survivre et à résister, nous ne pouvions vivre et progresser. Cette attitude négative et passive développait chez nous l'aliénation spirituelle par rapport au clergé, l'aliénation politique et économique par rapport à l'Angleterre et aux U.S.A., et l'aliénation culturelle par rapport à la France.

Au pays du Québec, la francophonie a fait généreusement preuve de cette profonde aliénation : voyez nos livres, nos poèmes, nos romans, nos pièces de théâtre, nos essais, nos critiques, où se manifestent le poids de la solitude, la difficulté de nous exprimer adéquatement (complexe courant du provincial), la presque impossibilité d'être vraiment compris (qui développe un complexe de l'échec).

Nous nous plaignons parfois du colonialisme français. Vient-il de nous ou d'eux ? Des observateurs malicieux diront qu'en tout Anglais se trouve un colonisateur à l'état réflexe, et qu'en tout Français s'en trouve un à l'état nature. C'est là un moindre défaut de tout peuple qui a grandement réussi, que de vouloir faire participer les autres peuples aux bienfaits de sa civilisation épanouie : mais on est en droit de protester contre l'impérialisme culturel, qu'il devienne ou non colonialisme coercitif. Et si nous examinons largement notre « standing » colonial, nous pouvons le situer par rapport à la France (culturel), à l'Angleterre (royal), aux U.S.A. (politique et économique), au Canada anglais (confédérationnel).

Etrange colonialisme culturel, qui n'est perçu presque exclusivement que par le colonisé. Et pourtant, c'est le nôtre, et le Français est la plupart du temps étonné de se voir accorder des privilèges et une stature [3] à quoi il ne s'attendait pas : il faudra parfois lui expliquer patiemment que tout cela lui vient de notre « colonisabilité » (Memmi, dans *Portrait du colonisé, précédé du portrait du colonisateur*) ; d'autres comprennent plus rapidement.

LE COMPLEXE DU CHEF-D'OEUVRE

Autre vérification de notre attitude de colonisés : le complexe du chef-d'œuvre. Nos écrivains, nos critiques, nos professeurs invitent régulièrement leurs lecteurs, leurs étudiants à comparer tel livre québécois à tels livres français ; dans les meilleurs cas on dira qu'après tout, si on se replace dans notre contexte défavorisé et provincial, oui, c'est valable ; et il en résulte souvent un autre complexe, celui du perfectionnisme ridicule et malhabile, chez l'écrivain, le critique, le professeur, qui ne cherchent plus tellement à bien faire leur travail, mais qui cherchent plutôt à faire comme les Français.

On voudrait que nos écrivains écrivent et publient leurs pages choisies avant les autres pages.

[3] Exemple magistral, parmi bien d'autres: en 1969, pour ouvrir l'Université du Québec, on déclare recourir à priori à 70 chercheurs et professeurs de France. D'autres pays pourraient sûrement participer à ce patronage et réduire ainsi le degré trop dirigé de notre « état colonial » envers la France. Et pourquoi ne pas en avoir profité pour « rapatrier » au Québec un nombre considérable de professeurs de grande valeur qui ont dû s'exiler au Canada ou aux U.S.A. parce que des professeurs étrangers occupaient les postes au Québec ?

On refuse de reconnaître la nécessité des exercices de style, des imitations, des variantes, de l'apprentissage : il faut souvent plusieurs faibles poèmes, romans, télé-théâtres ou essais, avant d'en arriver à une œuvre réussie. Nous ne connaissons souvent que les meilleurs produits des autres littératures, que nous comparons malhonnêtement à notre production courante de livres.

Nous avons des livres, quelques centaines s'ajoutent chaque année, nous avons aussi quelques écrivains qui vivent de ce métier : la quantité, si nous tenons compte du hasard et de la statistique, invite à la qualité. Mais on peut afficher livres et écrivains sans pour autant parvenir à une littérature différenciée, autonome, parce qu'il ne se trouve pas une langue autonome à sa racine. Nous sommes alors en présence d'une littérature *connexe* : il en est ainsi de la Suisse romande, de la Belgique, de Haïti, par rapport à la France. On peut trouver l'expression *littérature connexe* frustrante, mais le fait n'en existe pas moins.

Notre écrivain travaillera souvent dans le but d'être édité, ou du moins mentionné (dans les chroniques mondaines, dans les bas de pages, ou par miracle dans un dictionnaire), en France, en Europe : consécration suprême de son talent, et de notre état de colonisés.

RÉGIONALISME

L'écrivain écrit d'abord pour lui, parce qu'il a quelque chose dans son esprit qui demande à être proféré, à être projeté à l'extérieur. Et l'extérieur, c'est l'*autre*. Affrontement ou rencontre ? Affrontement et rencontre. Nous ne sommes pas encore tout à fait prêts à la pleine rencontre. Manque d'être, manque d'existence. Notre littérature est en devenir, parce que nous sommes en devenir, elle ne trouve pas sa justification en elle-même. Et pourtant, cette situation n'empêche pas l'apparition d'écrivains valables, à la recherche d'une autonomie, d'une identité, constituant une raison suffisante au geste d'écrire, et de publier. C'est d'ailleurs un autre symptôme du colonisé, que d'être ainsi un « être de carence » (Memmi [4]).

Passer de l'écrivain à la littérature, ce serait passer de l'épanchement d'une expression individualiste, confuse, sentimentaliste, à une communication collective, cohérente, réfléchie. Ici, nous connaissons depuis un siècle et demi la dimension littéraire de l'individu, celle de l'écrivain, mais nous ignorons encore la dimension littéraire de la collectivité, mise à part celle de notre échec et notre solitude : parce que nous n'avons pas encore établi notre cohésion nationale profonde, au-delà des agitations anarchistes. Nous sommes *séparés*, non seulement de la France-Mère-Patrie, de nos voisins canadiens et américains, mais nous sommes aussi séparés de nous-mêmes et contre nous-mêmes : aliénation traumatisante, s'expliquant fondamentalement par notre attitude de survivance-résistance. Cette situation larvée, close, sclérosée, nous montre bien que nous ne sommes pas encore passés collectivement du global au différencié : il nous faut faire le long chemin qui va du particularisme anecdotique et du régionalisme artisanal, au particularisme différentiel et au régionalisme significatif. Il ne s'agit pas de devenir ce « citoyen international » qui verse dans un universalisme abstrait, dans un *cosmisme* sans enracinement, dans un esthétisme creux ; il s'agit d'être nous-

(4) Même pour diagnostiquer notre mal, nous empruntons des observations développées ailleurs et sur autre chose, comme celles de Marx ou de Mao, de Sartre ou de Fanon, de Berque ou de Castro, de Marcuse ou de Che Guevara, de Memmi...

mêmes, d'une qualité et d'une exigence telles que nous rejoindrons l'homme qui se trouve dans le Français, l'Anglais, l'Etatsunien, le Japonais, le Malaisien.

Nos écrivains sont des chroniqueurs d'une fidélité désolante qui nous racontent tous à peu près la même histoire, celle de notre aliénation, celle des excellentes raisons qu'ils auraient de ne pas écrire. Et voici qu'une récente thématique, celle du *Pays*, prolifère dans la jeune poésie : il y a déjà menace que cette thématique devienne conventionnelle et mécanique, au niveau d'une mode accidentelle ; mais il s'y trouve aussi promesse d'une cohésion profonde, significative, efficace. Car nous croyons davantage en la poésie, qu'au séparatisme ou qu'aux mouvements terroristes.

ENGAGEMENT ET LIBERTÉ

Et nous ne nous sentons pas moins *engagés* dans la poésie que d'autres le sont dans la violence ou les bombes.

L'écrivain est situé, qu'il l'accepte ou non ; mais *situé* ne signifie pas figé, fixé, fossilisé ; *situé* ne signifie pas davantage qu'on est d'accord ou non avec tel ou tel courant d'un complexe, d'un ensemble qu'on nomme groupe ethnique ou civilisation. L'artiste, l'écrivain sont situés, qu'ils soient traditionnalistes ou avant-gardistes, intégristes ou anarchistes. On oublie parfois qu'un homme peut s'engager aussi profondément dans un mouvement révolutionnaire ou dans un mouvement réactionnaire, dans la foi ou l'athéisme.

Et au fond, peu importe ou non qu'il y ait une *littérature* du Québec : il s'y trouve des écrivains, qui écrivent : écrire, c'est agir, c'est agir gravement, sur l'esprit, sur le sien et sur celui des autres. Ecrire, c'est profondément s'engager, se compromettre, devant l'autre. Si l'on signifie par engagement l'enrégimentation à une chapelle ou à une coterie, nous refusons farouchement cet engagement nivellateur, qui devient refus de la liberté.

L'engagement, c'est présence à soi et conscience de cette présence aux autres. Le seul engagement, c'est le refus de l'aliénation intérieure, serait-ce sous prétexte de sortir d'une aliénation extérieure. S'engager, c'est assumer sa liberté, et risquer de l'assumer en profondeur, envers et contre tous. S'engager en soi, c'est refuser les cadres, ce qui ne veut pas dire se replier dans une tour d'ivoire et ne rien faire.

Pouvons-nous faire comme si nous avions réglé tous nos problèmes ? Cette réalité d'anticipation pourrait être autre chose qu'une illusion, qu'une utopie, elle pourrait peser de tout le poids de l'espérance et de l'imaginaire sur la réalité présente, et aider à transformer progressivement cette réalité présente en la réalité de demain : le projet n'est plus seulement un schème mental, mais devient levain actif. *Ecrire en souvenir de demain* me dit un poète, en ce sens précis.

Tentation *littéraire* de l'écrivain.

TRIBULATIONS DE LA FICTION AU XIXe SIÈCLE

Ecrire un roman, c'est écrire une affabulation, c'est s'évader de la réalité objective et se créer une autre réalité, imaginaire. Mais l'évasion aussi est témoignage, ne serait-ce que témoignage négatif devant une réalité qu'on juge intolérable. Cet aspect de la fiction, exprimé dans le roman ou au théâtre, ne doit pas être négligé.

Ceux qui ont examiné les débuts pénibles de notre littérature québécoise reconnaissent, dans ces milliers de pages écrites le plus souvent assez rapidement, un grand souffle dans la tradition du romantisme européen : il serait inexact de réduire l'influence littéraire de l'époque à celle de la France, sans doute plus importante, à cause de la langue, mais toutefois non exclusive. On lisait aussi Goethe, Shelley, Byron, Shakespeare,

Ossian, Scott, Cooper, Hoffman, Cervantes... [1]

SE MÉFIER DE L'IMAGINATION

Séraphin Marion a bien analysé la naissance de nos lettres : « Ce qui, du point de vue littéraire, caractérise au Canada français les années postérieures à l'insurrection de 1837, c'est la naissance de deux ouvrages qui ne sont pas tributaires du journalisme : *l'Influence d'un livre* de P.-A. de Gaspé fils, et les *Fiancés de 1812* de Joseph Doutre. Le livre commence donc à s'émanciper du journal. » [2]

Avant d'examiner la situation gênante du roman, n'oublions pas que même en France, on considérait volontiers ce genre comme peu noble, peu important : les auteurs en vue boudaient le roman, Voltaire ne signera pas *Candide,* et Diderot dira que, dans les romans historiques, l'histoire gâte le roman et le roman gâte l'histoire.

« Considéré par les anciens et les classiques comme un divertissement frivole, le roman connaîtra des débuts difficiles au Canada français. Aux préjugés européens professés à son égard s'ajouteront des incompréhensions, des partis pris, des erreurs manifestes et aussi de légitimes mesures de prudence qui retarderont, pendant des années, la naissance et le développement d'un genre littéraire auquel le XXe siècle réservait pourtant d'incontestables réussites ainsi qu'un avenir prometteur... C'est une feuille anglaise qui, la première, conseilla à nos gens de ne pas lire des romans ; et c'est une feuille anglo-saxonne du Canada, l'austère et prude *Gazette de Québec* qui, dès 1795, colporta aux quatre coins du Canada français d'aussi étranges propos. Le premier

[1] Albert Dandurand: *Le roman canadien-français,* Albert Lévesque éditeur, Montréal, 1937, page 18.

[2] Séraphin Marion: *Les lettres canadiennes d'autrefois,* L'Eclair et l'Université d'Ottawa, 1944, tome 4, p. 11.

venu peut recueillir cette perle dans le numéro du 3 décembre 1795 de l'hebdomadaire québécois ; c'est là que sont tapies les pires erreurs qui aient jamais été imprimées au Canada français sur le roman. La *Gazette de Québec* y reproduit, avec traduction en regard, un article du *Whitehall Evening Post* intitulé : *Sur le mauvais effet de la lecture des historiettes et des romans.* » (3)

Les principales positions de l'auteur, un rigoriste prudemment anonyme et d'autant plus zélé, sont les suivantes:

1) tous les romans sont inutiles, et quand ils ne le sont pas, sont immoraux et deviennent « le chemin des vices les plus dangereux » ;

2) « Je regarde les historiettes comme les précepteurs du vice » ;

3) « De chercher le plaisir dans la lecture est certainement un objet louable, lorsqu'il naît de sujets que l'on peut tourner à profit. »

Ces propos seront repris un demi-siècle plus tard par Etienne Parent devant les membres de l'Institut Canadien, dans un discours dégageant la nécessité pressante d'étudier l'économie politique : « Une pareille matière, à mon avis, vaudrait bien les romans et les nouvelles, plus ou moins frivoles, que nous débitent à la brasse certains journaux du pays. Il faut à une population comme la nôtre des lectures utiles et instructives. » (4)

Reconnaissons à Etienne Parent le droit de protester contre les feuilletons grossiers, mal écrits et ennuyeux qui encombraient parfois nos journaux au milieu du XIXe siècle : mais l'attitude du tribun ressemble trop ici, par sa rigueur, à celle de l'auteur précédent, et à celle de Port-Royal, où l'on se méfiait farouchement de l'imagination, « cette maîtresse d'erreur et de fausseté,

(3) *Ibid.*, p. 14.
(4) *Ibid.*, p. 17.

d'autant plus fourbe qu'elle ne l'est pas toujours, cette superbe puissance ennemie de la raison ».[5] Etienne Parent refuse ainsi tout droit d'expression à l'imagination, à l'invention, au rêve, à l'art, et ne semble pouvoir considérer comme préoccupation valable que l'action économique et politique.

DES CONFESSEURS AUX PSYCHANALISTES

Nombre de témoignages vont dans le même sens. Mais il faudrait remonter beaucoup plus haut, à la fin du dix-septième siècle, pour comprendre à la racine cette méfiance et ce mépris du roman, de la fiction. C'est à propos du théâtre que la question se posera d'abord. Après avoir défendu la danse et le bal, en permettant toutefois aux jeunes filles de danser entre elles, et après avoir défendu les « festins », Mgr de Saint-Valier déclarera en 1685 : « Mais l'on ne croit pas qu'il soit bienséant à la profession du christianisme de lui permettre la liberté de représenter un personnage de comédie, et de paraître devant le monde comme une actrice en déclamant des vers, quelque sainte qu'en puisse être la matière ; et bien moins encore croit-on qu'on doive souffrir que des garçons déclament avec des filles ; ce serait renouveler ici sans y penser l'usage du théâtre et de la comédie, ou autant ou plus dangereuse que le bal et la danse, et contre laquelle les désordres qui en sont arrivés autrefois ont donné lieu d'invectiver avec beaucoup de véhémence. »[6]

Il faudrait rappeler ici quelques pages de la petite histoire. Sous le régime français, les pré-

[5] Pascal: *Pensées,* éd. Lafuma, Seuil, Collection « Le Livre de Vie », pp. 54-55.

[6] *Mandements des évêques de Québec,* compilés par Têtu et Gagnon, Québec, Imprimerie Côté, 1887, tome 1, pp. 171-172.

occupations coloniales monopolisaient l'attention et les efforts des organisateurs et des fondateurs du pays de Neuve-France : peuplement, expansion territoriale, exploitations des ressources naturelles en vue d'une économie suffisante, défense contre les résistances des indigènes et les attaques des rivaux anglais. La vie intellectuelle et artistique du moment se comparaît à celle d'une province française de faible contact métropolitain, à peu de choses près ; car si l'on veut ramener cette situation à un problème de contact, d'échanges directs, les routes n'étaient peut-être pas tellement plus efficaces que les mers...

Fin décembre 1646, soit dix ans après sa création parisienne, on présente *Le Cid* dans une des salles du magasin des Cent Associés à Québec ; et par la suite, on monte quelques spectacles, allant de Corneille, Racine, Molière, à la comédie de vaudeville de Joseph Quesnel et compères, en passant par des grands drames à la taille du pays, en français-huron-algonquin-anglais.

A la fin du dix-septième siècle se déroulait en France la querelle du théâtre, préparée par les jansénistes et reprise, sur un ton plus savant, par Bossuet, dans ses *Maximes et Réflexions sur la Comédie* (1694) ; les trois arguments du célèbre orateur sont les suivants : 1/ puisque la fonction du théâtre est de plaire, le théâtre doit flatter les passions ; 2/ nous pouvons, de fait, constater que le théâtre met en scène des passions brutales, que ce soit chez Corneille, Racine, Molière ou les autres ; 3/ une longue tradition des Pères de l'Eglise s'oppose avec grande sagesse à ces formes de divertissements. — Bossuet touche aussi un point délicat du théâtre, celui du dédoublement de la personnalité, et nous étonne quelque peu par sa pénétration psychologique pré-freudienne : ainsi les grands confesseurs seraient bien les précurseurs immédiats des psychanalistes.

UNE TRADITION ÉPISCOPALE FOUDROYANTE

Cette même année 1694, où étaient publiées les *Maximes et Réflexions sur la Comédie* de Bossuet, Mgr de Saint-Valier, évêque de Québec, faisait officiellement cette déclaration : « Mais au regard des spectacles et comédies impies, ou impures, ou injurieuses au prochain, qui ne tendent d'elles-mêmes qu'à inspirer des pensées et des affections tout-à-fait contraires à la Religion, à la pureté des mœurs, et à la charité du prochain, comme sont certaines pièces de théâtre qui tournent la piété et la dévotion en ridicule, qui portent les flammes de l'impureté dans le cœur, qui vont à noircir et à déchirer la réputation, ou qui sous le prétexte apparent de réformer les mœurs ne servent qu'à les corrompre et sous couleur de reprendre le vice l'insinuent adroitement et avec artifice dans l'âme des spectateurs, comme pourrait être la comédie de Tartuffe, ou de l'imposteur et autres semblables. Nous déclarons que ces sortes de spectacles et de comédies ne sont pas seulement dangereuses, mais qu'elles sont absolument mauvaises et criminelles d'elles-mêmes et qu'on ne peut y assister sans péché, et comme telles nous les condamnons. » [7]

Cette déclaration épiscopale se situe dans un contexte drolatique. Le lieutenant de Mareuil, chargé des plaisirs du gouverneur Frontenac, avait pris l'initiative de jouer le *Tartuffe*, et, comme le rappelle malicieusement Jean Béraud, « la jeune Eglise canadienne devait avoir le souci de ne pas laisser porter atteinte à son prestige » [8] ; Mgr de Saint-Valier essaie vainement d'étouffer

[7] *Ibid.*, tome 1, p. 303, le 16 janvier 1694.

[8] Jean Béraud: *350 ans de théâtre au Canada français*, Cercle du Livre de France, Montréal, 1958, pp. 12-13.

le mal dans l'œuf, ce qui agace Mareuil, qui redouble d'audace, à tort semble-t-il : « Nous voulons pour cette fois nous contenter de nommer le Sieur Mareuil qui, au mépris des avis souvent réitérés que nous lui avons donnés et fait donner par des personnes très dignes de foi, continue de tenir des discours en public et en particulier, qui seraient capables de faire rougir le ciel, et d'attirer les courroux de la vengeance de Dieu sur sa tête... »[9]

Frontenac, dont la piété n'est pas exemplaire et dont l'autorité est ombrageuse, accepte pourtant imprudemment une indemnité de cent pistoles de la part de l'évêque, et se prive de son Molière infâme : ce pot-de-vin attirera un blâme de la Cour, bien mérité, contre Monsieur de Frontenac, qui avait succombé aux pièges de la politique épiscopale.

Ces incidents révèlent déjà, au début de la colonie française en Amérique, une méfiance en regard des divertissements dont avait parlé en si grand mal Pascal. Nous avons été invités à penser que la colonie était exemplaire de comportement, et pourtant un texte comme celui-ci nous permet d'en douter sérieusement : « Grand nombre de personnes de l'un et l'autre sexe se seraient assemblées toutes les nuits sous le nom de charivari et auraient dans leurs désordres et libertés scandaleuses, comme il arrive ordinairement, commis des actions très impies et qui vont à une entière dérision de nos mystères, et des vérités de la Religion chrétienne et des plus saintes cérémonies de l'Eglise... Nous faisons très expresses inhibitions et défenses à tous fidèles de l'un et l'autre sexe de notre diocèse de se trouver à l'avenir à aucune des dites assemblées qualifiées du nom de charivari, aux pères et aux mères d'y envoyer ou permettre que leurs enfants y aillent, aux

[9] *Mandements*, tome 1, pp. 301-302.

maîtres et maîtresses d'y envoyer leurs domestiques, ou permettre volontairement qu'ils y aillent, le tout sur peine d'excommunication. »[10]

La gravité de l'interdiction nous laisse soupçonner, d'après la première partie de la citation, que ces nuits tumultueuses se doublaient peut-être, à l'occasion du moins, de « messes noires » ! Deux siècles plus tard, deux autres interdictions nous montrent très bien la très forte tradition des positions épiscopales : « Nous défendons sous peine de péché grave aux fidèles de ce diocèse de prendre part les jours de fêtes et de dimanche aux excursions de plaisir en chemins de fer, en bateaux à vapeur, ou en voiture, même quand le produit de ces excursions serait destiné à une bonne œuvre. »[11] — « J'ai été informé que, dans quelques paroisses de l'archidiocèse, il y a eu cet été, les jours de dimanche et de fêtes d'obligation, des soirées dramatiques et autres réunions de ce genre, dont le produit était destiné à des bonnes œuvres. Je charge MM. les curés de voir à ce que cela n'ait plus lieu. »[12]

Si nous accordons quelque importance à ces attitudes de l'épiscopat, c'est en tenant compte du fait que les évêques et le clergé jouaient un rôle prépondérant d'estime et d'autorité sur l'ensemble de la population québécoise ; les cadres rigoureux qu'ils imposaient, trop visiblement dans le sens du puritanisme et du jansénisme, expliquent, en grande partie du moins, l'impossibilité de développer ici un art libre : la seule architecture d'une certaine qualité avant le vingtième siècle est celle des églises ; la peinture sera jusqu'en 1942 limitée aux scènes édifiantes ou

(10) *Ibid.*, tome 1, pp. 114-115, Mgr Laval.

(11) *Ibid.*, tome 2 de la seconde série, p. 202, Mgr Taschereau, le 26 avril 1880.

(12) *Ibid.*, tome 2 de la seconde série, p. 628, Mgr Taschereau, le 3 décembre 1887.

anecdotiques, aux paysages traditionnels nuancés à l'occasion d'une mince influence européenne; et la littérature sera aussi « engagée » dans le sens exemplaire et moralisant: l'aventure de l'imaginaire était systématiquement refusée, et nous pouvons le constater abondamment, trop abondamment, dans les attitudes devant la question du roman tout au long du dix-neuvième siècle.

PREMIERS ROMANCIERS PRUDENTS

Dans la préface du premier roman québécois, nous trouvons une contradiction implicite fort étonnante: d'un côté, Philippe-Aubert de Gaspé fils se propose d'exploiter, dans des champs autres que ceux des bucoliques et des pastorales, la « nature humaine », et pourtant: « J'offre à mon pays le premier roman de mœurs canadien... Les mœurs pures de nos campagnes sont une vaste mine à exploiter... J'ai décrit les événements tels qu'ils sont arrivés, m'en tenant presque toujours à la réalité, persuadé qu'elle doit toujours remporter l'avantage sur la fiction la mieux ourdie. Le Canada, pays vierge, encore dans son enfance, n'offre aucun de ces grands caractères marqués, qui ont fourni un champ si vaste au génie des romanciers de la vieille Europe. Il m'a donc fallu me contenter de peindre des hommes tels qu'ils se rencontrent dans la vie usuelle. Mareuil et Amand font seuls des exceptions: le premier, par sa soif du sang humain; le second, par sa folie innocente. »[13]

L'auteur se rend-il compte des nombreuses contradictions de son texte, ou recourt-il à ces contradictions pour éviter la censure, toujours menaçante dans une société monolithique et

[13] P.-A. de Gaspé fils: préface au *Chercheur de trésor*, Ed. de l'imprimerie Léger Brousseau, Québec, 1878, pp. 6, 7, 8.

sévèrement contrôlée ? Il arrivera très souvent, dans les romans du XIXe siècle, que la préface mette en évidence de bonnes intentions presque absentes dans le roman lui-même. P.-A. de Gaspé fils écrivait en 1837 également : « Avec les livres, on peut évoquer les esprits de l'autre monde, le diable même. »[14] Ainsi, la fonction tendancieuse de la fiction était pleinement consciente, et ce n'est pas par hasard que *Le chercheur de trésors ou l'influence d'un livre* se situe dans un contexte alchimiste, envoûtant, fort peu orthodoxe : le clergé aurait donc eu raison, à son point de vue, de regarder du mauvais œil ces libertés du théâtre et du roman, qui menaçaient directement son prestige unique ; il faut reconnaître toutefois que le roman comme tel, que le théâtre comme tel, ont été rarement attaqués en bloc : on s'en prenait habilement à ce qu'on appelait les mauvais livres, les mauvais romans, les mauvaises comédies, mais au fond, on se rend bien compte que ce qui restait n'était pas digne de s'appeler littérature.

Dans *La fille du brigand,* Eugène L'Ecuyer trouve une façon assez bizarre de moraliser : « Tout annonçait une de ces nuits de vol et de meurtre que les citoyens ne voyaient arriver qu'avec crainte et qu'ils passaient dans des transes horribles... Le Cap Rouge, c'était l'épouvantail dont se servait la superstition pour inspirer l'amour de la vertu et l'horreur du vice... » Il peut sembler que d'autres formes d'épouvantail étaient aussi utilisées à la même fin ; et les idées de l'auteur sont quelque peu cahoteuses, surtout dans cette scène où Helmina et Julienne, emprisonnées par Maître Jacques, voient un ange leur apparaître, qui leur répète ce que le Seigneur lui a déjà confié : « Bénies soient les vierges du Cana-

[14] J. Houston: *Le Répertoire national,* tome 2, p. 52.

da, qui gémissent dans les ténèbres pour la vertu et la religion. »[15]

Joseph Doutre, dans *Les Fiancés de 1812*, se voit rappeler dans sa préface, par un interlocuteur imaginaire trop réel, que « les romans ne sont pas de la littérature... J'aimerais beaucoup mieux voir mes jeunes concitoyens s'occuper de choses plus utiles pour le pays et eux-mêmes ». L'auteur tentera bien malhabilement une défense du genre : « Nous soutenons qu'il y a du bien et beaucoup de bien à recueillir de la lecture des romans, quoique souvent le mal l'emporte sur le bien. »[16]

UN DÉCOR EXEMPLAIRE

On pense assez souvent à l'époque que la fiction est matière frivole, et c'est Étienne Parent qui le déclarera solennellement dans un discours intitulé *Importance de l'étude de l'économie politique* : « Au risque de notre ruine individuelle et nationale, nous devons nous livrer entièrement et uniquement aux études sérieuses, aux lectures instructives, aux exercices graves de l'esprit » ; en lisant des romans, qu'ils soient de Sue ou de Dumas ou d'autres écrivains, le jeune lecteur « sera transporté dans un monde fantastique où tout sera exagéré, chargé, caricaturé... Il n'y a donc rien d'utile à retirer de la lecture des romans et des nouvelles du jour, si ce n'est quelque délassement à des lectures sérieuses et instructives ». Etienne Parent dévoilera toute l'estime qu'il éprouve pour l'art en général, sa position en face du roman n'étant qu'une des composantes d'un système séduisant : « Ce sont des manœuvres qu'il nous faut : le temps des peintres et des sculpteurs viendra plus tard. »[17] Une implaca-

[15] *Ibid.*, tome 3, pp. 92, 122, 186.
[16] *Ibid.*, tome 3, p. 4.
[17] *Ibid.*, tome 4, pp. 24-25.

ble fatalité voudra que nous demeurions des manœuvres, trop souvent, même dans le domaine idéal de l'économie, selon Etienne Parent. Pourtant, en 1847, une opinion opposée se manifeste clairement : « L'homme qui réussirait à établir une école des beaux-arts, soit à Montréal, soit à Québec, où l'on enseignerait surtout l'architecture et la sculpture, rendrait un service éminent à la jeunesse canadienne. »[18] Est-ce à cause de l'inévitable nu qu'on semble ici vouloir ignorer la peinture ?

Une thèse se développe, formulée par le chanoine Hudon dans son *Sermon national* du 24 juin 1846 : « La religion est le véritable et unique fondement de la prospérité et du bonheur de la société... La perte des vertus a toujours été le terme de la prospérité des empires... »[19] Cette confusion entre l'ordre matériel et l'ordre spirituel, qu'on ne devrait pas avoir à reprocher à un théologien, conduit à d'autres confusions, comme celles que fait Patrice Lacombe dans la page finale de *La terre paternelle* : « Nous écrivons dans un pays où les mœurs en général sont pures et simples, et l'esquisse que nous avons essayé d'en faire aurait été invraisemblable, et même souverainement ridicule, si elle s'était terminée par des meurtres, des empoisonnements et des suicides. Laissons aux vieux pays, que la civilisation a gâtés, leurs romans ensanglantés, peignons l'enfant du sol tel qu'il est, religieux, honnête, paisible de mœurs et de caractère, jouissant de l'aisance et de la fortune sans orgueil et sans ostentation, supportant avec résignation et patience les plus grandes adversités ; et quand il voit arriver sa dernière heure, n'ayant d'autre désir que de pouvoir mourir tranquillement sur le lit où s'est endormi son père, et d'avoir sa place

(18) *Ibid.*, tome 4.
(19) *Ibid.*, tome 3, p. 330.

près de lui au cimetière, avec une modeste croix de bois pour indiquer au passant le lieu de son repos. Encore donc un coup de pinceau à un riant tableau de famille, et nous avons fini... »[20]

Sommes-nous en contexte ironique ? Est-il sérieux, ce décor exemplaire que nous dresse le romancier ? On peut de nouveau se le demander en marge de *Charles Guérin*, qui paraît d'abord sans nom d'auteur en 1846 dans *l'Album littéraire et musical* de la *Revue canadienne* : P.-O. Chauveau signera l'édition en livre, en 1853 ; en préface, un ami de l'auteur, G.-H. Cherrier, présente fort drôlement ce roman, en indiquant clairement qu'on n'y trouvera pas de peinture de mœurs épicées et dramatiques, mais bien plutôt discours édifiants, dissertations philosophiques et politiques : « De cela il ne faudra peut-être pas autant blâmer l'auteur que nos Canadiens, qui tuent ou empoisonnent assez rarement leur femme, ou le mari de quelqu'autre femme, qui se suicident le moins qu'ils peuvent, et qui en général mènent, depuis deux ou trois générations, une vie assez paisible et dénuée d'aventures auprès de l'église de leur paroisse, au bord du grand fleuve ou de quelqu'un de ses nombreux et pittoresques tributaires. »[21]

Si nous nous interrogeons sur les lectures du temps, nous aurons une autre surprise, qui rend impossible l'illusion d'un monde intégriste et exemplaire. *Le Pays* du 27 septembre 1856 nous fournit le catalogue de la librairie J.-B. Rolland, contenant les œuvres complètes de Molière, de Corneille, de Racine, de Régnard, les ouvrages de Lamartine, ceux d'auteurs anglais, et plusieurs livres à l'index. Ne rapporte-t-on pas dans les *Mémoires et comptes rendus de la Société royale du Canada* que les *Paroles d'un croyant* de La

[20] *Ibid.*, tome 3, pp. 396-397.
[21] *Ibid.*, p. VI.

Mennais était un « ouvrage distribué à profusion dans nos campagnes », et qu'il avait été publié à Montréal en 1834, l'année même de sa publication parisienne (1905, page 27)... Au sujet des livres à l'index que la maison Rolland affiche ainsi impudiquement, il y aura dénonciation, accusation de propager le vice et l'irréligion : 1,500 volumes seront brûlés, d'après du moins ce qu'en dit *La Minerve* de 1857 (année de condamnation des *Fleurs du mal...*) ; mais on doute de l'authenticité de l'holocauste purificatoire, et on accuse Rolland de vendre discrètement aux amateurs les livres qu'on prétendait avoir brûlés.

On s'interrogeait sérieusement sur le problème du roman, et les propos d'un conférencier anonyme rapportés dans un journal du 20 mars 1857 sont là pour le prouver : « L'habileté des romanciers consiste à empoisonner ou à pendre une couple de ces infortunés sujets au 2e chapitre. Vers le milieu du livre, il en poignarde deux ou trois autres, à l'aide d'imprécations à grand effet, et pour le dénouement, il s'arrangera de manière à casser la tête d'un coup de pistolet au malheureux survivant de son imagination en délire. Le tour est fait, la farce est jouée. »(22)

Sans vouloir médire de la culture littéraire de cet auteur sans nom, nous devinons qu'il a déjà lu Sade, et qu'il en a été quelque peu choqué ! Un certain M. H.-E. Chevalier, immigrant français et professeur de littérature perdu en Canada d'Amérique, publie dans la *Ruche littéraire* en 1853 *La vie d'un faux dévot*, où est mis en scène assez rudement un Tartuffe canadien : les protestations sont si fortes qu'elles entraînent la disparition de la *Ruche ;* M. Chevalier, plein de bonne volonté et comprenant le bon sens, s'excuse de ne pas mieux connaître les mœurs de nos gens, ce à quoi réplique E.-L. de Bellefeuille : « Il ne

(22) *La Patrie,* 20 mars 1857.

connaissait pas en effet nos mœurs ; il voulait implanter ici ce genre détestable de littérature, qui est le véritable crime de plus d'un proscrit français ; il voulait introduire au sein de nos familles, si honnêtes, ces publications immorales, ces romans impurs et scandaleux. » Et l'argument décisif, réservé pour la fin, nous dévoile la motivation profonde de l'anathème contre le roman au XIXe siècle : « L'âme se trouve affaiblie et énervée, après la lecture de tout roman. »[23]

Le roman, on s'en rend compte, a fort mauvaise presse : on l'utilise toutefois pour édifier des situations exemplaires, comme dans *Jean Rivard le défricheur*, où Antoine Gérin-Lajoie établit sa projection idéaliste : « Ce n'est pas un roman que j'écris, et si quelqu'un est à la recherche d'aventures merveilleuses, duels, meurtres, suicides, ou d'intrigues d'amour tant soit peu compliquées, je lui conseille amicalement de s'adresser ailleurs. On ne trouvera dans ce récit que l'histoire simple et vraie d'un jeune homme sans fortune, né dans une condition modeste, qui sut s'élever par son mérite, à l'indépendance de fortune et aux premiers honneurs de son pays. »[24]

NOUVELLE ATTAQUE ÉPISCOPALE

Dans une lettre pastorale collective des Pères du 3e Concile provincial de Québec, du 21 mai 1863, on peut lire cette page d'éloquence passionnée : « Car, aujourd'hui plus que jamais, l'enfer met tout en œuvre pour ruiner de fond en comble, s'il était possible, la véritable religion ; et les tempêtes qui s'élèvent contre Elle, sur la mer orageuse de ce monde, deviennent de plus en plus furieuses. Ces dangers se trouvent, n'en doutez pas, Nos Très Chers Frères, dans la lec-

(23) *L'Ordre,* 5 avril 1859.
(24) *Le Répertoire national,* deuxième édition, Beauchemin, 1913, p. 11.

ture des mauvais livres et des mauvais journaux surtout, qui circulent plus que jamais dans le monde. Car hélas ! ils se colportent partout, dans les places publiques, dans les gares et les chars de chemins de fer, dans les prisons et les hôpitaux, sur les marchés et dans les maisons particulières. L'erreur se déguise sous toutes les formes, et se cache pour mieux se protéger, dans une infinité de bibles falsifiées, de petits traités pleins de mensonges, de brochures irréligieuses ou immorales, de journaux injurieux à la foi et aux mœurs. En vérité, nous en sommes rendus aux temps mauvais prédits par l'apôtre Saint-Jean, où des sauterelles, qui dévorent tout, *sortent des puits de l'abîme* en si grand nombre qu'elles forment un nuage épais, qui *obscurcit la lumière du soleil* (Encyclique de Grégoire XVI, 15 août 1832). A la vue de tant de productions criminelles que l'enfer ne cesse de vomir sur la terre, tremblez, Nos Très Chers Frères, comme vous le feriez à la vue de serpents venimeux, qui se glisseraient dans vos maisons : *Quasi a facie colubri fuge peccatum.* »[25]

Le roman n'est pas attaqué nommément dans cette mise en garde radicale, mais les positions sont d'une telle catégorie que c'est l'ensemble du phénomène littéraire, de l'imprimé, qui semble être présenté dans une condition peu engageante pour ceux qui en avaient connaissance. L'abstention était le réflexe conditionné qui pouvait le plus naturellement se développer devant un tel tableau, dans les circonstances de 1863. Examinons maintenant l'autre attitude du clergé, celle qui se veut positive, et nous retrouverons des courants qui sont devenus traditionnels. « Heureusement que, jusqu'à ce jour, notre littérature a compris sa mission, qui est de favoriser les saines doctrines, de faire aimer le bien, admirer le beau,

[25] *Mandements*, tome 4, 1888, p. 449.

et connaître le vrai, de moraliser le peuple en ouvrant son âme à tous les nobles sentiments, en murmurant à son oreille, avec les noms chers à ses souvenirs, les actions qui les ont rendus dignes de vivre, en couronnant leurs vertus de son auréole, en montrant du doigt les sentiers qui mènent à l'immortalité. Voilà pourquoi nous avons foi dans son avenir... D'une main saisissant les trésors du passé, de l'autre ceux de l'avenir, et les réunissant aux richesses du présent, vous élèverez un édifice qui sera, avec la religion, le plus ferme rempart de la nationalité canadienne... En attribuant le premier rang à l'agriculture, les Canadiens auront plus fait pour la consolidation de leur nationalité et l'extension de leur influence, qu'ils ne pourraient obtenir avec de grasses armées et de riches trésors »[26].

DES THÈSES ACCABLANTES

Les thèses du messianisme, de l'agriculturisme, du moralisme, de l'idéalisme, constituent ici un bouquet capable d'embaumer abondamment les trois veilles d'un peuple moribond. La pensée cléricale se manifeste on ne peut plus clairement : tel n'est pas le cas pour la pensée laïque, qui ne se met que fort gauchement au pas : toujours en 1866, nous en trouvons une preuve dans le Prologue de *Jacques et Marie,* de Napoléon Bourassa (Senécal, éditeur, pp. 7-9) : « N'ayant jamais fait le plus petit volume, ni jamais entretenu l'idée d'en faire un, j'ai entrepris cet écrit sans forme préméditée, sans modèle adopté... M'étant engagé à faire une œuvre d'imagination, j'ai cherché au milieu de mes souvenirs, dans les sphères du mon-

[26] *Oeuvres complètes de l'abbé H. R. Casgrain,* Beauchemin et Valois, Montréal, 1884, tome 1, pp. 369-370, 371, 375; texte intitulé « Le mouvement littéraire au Canada », janvier 1866.

de que j'ai le plus connu et aimé, un thème qui pût me fournir beaucoup de vertus à imiter, beaucoup de courage et de persévérance à admirer, beaucoup de péripéties et de combat à raconter, et je l'ai trouvé au berceau de ceux qui vinrent fonder les humbles hameaux, où j'ai vu le jour... Il peut se faire, aussi, que mon livre n'ait pas la fortune de l'Enéide... Ces pages, que j'ai consacrées à leur mémoire (celle des « petits-enfants des proscrits acadiens ») et que je vous offre, sont probablement peu de choses ; mais si elles peuvent faire verser quelques larmes nouvelles sur les souffrances oubliées de vos parents ; si elles servent à retremper vos cœurs dans leur foi et leurs vertus de toutes sortes et vous engagent à imiter leur exemple dans toutes les circonstances difficiles qui sont encore réservées à votre existence nationale, alors je n'aurai pas entrepris une tâche inconsidérée, et je serai plus satisfait encore de l'avoir accomplie pour vous ; on me pardonnera peut-être ensuite les fautes de forme et de détail ».

On peut relever le peu de souci que l'auteur accorde à l'aspect formel de l'œuvre littéraire ; ce qui compte, de toute évidence, c'est l'intention moralisatrice, qui se développe en regard d'un passé exemplaire ; et c'est le roman historique qui devient le genre privilégié, chez Joseph Marmette : « Rendre plus populaire en la dramatisant la partie héroïque de notre histoire et l'embrasser dans les quatre volumes (le Chevalier de Mornac, François de Bienville, l'Intendant Bigot, la Fiancée du Rebelle), où la fiction n'a que juste assez de place pour qu'on puisse les classer dans la catégorie des romans historiques... Rendre populaires, en les dramatisant, des actions nobles et glorieuses que tout Canadien devrait connaître... Je n'ai à dessein employé d'intrigue que ce qu'il en faut pour animer mon récit. Aussi bien heureux serais-je, si je puis dire comme le poète : Le conte fait passer le précepte avec lui »[27].

Si nous nous demandons où en était *Notre littérature en 1870,* nous trouvons cette réponse sous la plume d'Adolphe Routhier : « Ceux qui se disputent l'honneur d'être les pères de la littérature canadienne ont évidemment trop bonne opinion de leur fille... C'est une assez jolie fille, je l'admets, et quoique très faible encore, il y a lieu d'espérer qu'elle vivra... Elle manque de couleur, d'expression, de nerf et de vie... Elle est fière et digne et ce n'est pas elle qui voudrait se traîner dans la fange où l'on voit éclore tant de romans et de vaudevilles français. Elle est profondément religieuse et sa voix n'insulte pas Dieu, ni la religion... Ce qui distingue notre littérature, c'est son amour du vrai et du beau... Nous n'avons pas pour les culs-de-jatte, les bossus, les courtisanes et toutes les autres laideurs physiques et morales, ce goût particulier que nourrissent Victor Hugo, Eugène Sue, A. Dumas, Théophile Gauthier, et bien d'autres... »[28].

ROMAN NATIONAL ET EXEMPLAIRE

De toute évidence, on se préoccupe davantage des trois transcendantaux d'appréciation thomistes que des romans de Balzac ou de Stendhal. La mission littéraire déjà signalée plus haut se métamorphose maintenant en *sacerdoce.* « Ce sacerdoce social, réservé aux peuples d'élite, nous avons le privilège d'en être investis ; cette vocation religieuse et civilisatrice, c'est, je n'en puis douter, la vocation propre, la vocation spéciale de la race française en Amérique... Notre

(27) Joseph Marmette: *François de Bienville,* troisième édition, Beauchemin, Montréal, 1907; préface du 1 septembre 1870, pp. 7, 12-13.
(28) Cité par C. Roy: *Morceaux choisis,* Beauchemin, Montréal, 1945, pp. 193-194.

mission est moins de manier des capitaux que de remuer des idées ; elle consiste moins à allumer le feu des usines qu'à entretenir et à faire rayonner au loin le foyer lumineux de la religion et de la pensée »[29].

Il est difficile d'être plus explicite en matière de messianisme, voire de racisme ; le tout évidemment sous le couvert des meilleures intentions, et de la bonne conscience. Mais les livres s'ajoutent, d'année en année, et Edmond Lareau décide de publier en 1874 la première *Histoire de la littérature canadienne* ; après un grand panorama de l'évolution de la littérature, où l'on passe de la poésie lyrique légère à la poésie épique, puis au genre dramatique, puis au genre didactique, puis finalement au genre romanesque, voici ce que l'auteur dit du roman : « Le roman, telle est donc la forme légère et diaprée qu'a pris l'engagement littéraire à notre époque... Il s'empare de sujets les plus arides pour les revêtir des mille paillettes dorées de l'imagination... Il cache sous les fleurs des vérités étonnantes. Le lecteur boit goutte à goutte cette potion, trop souvent malsaine, et s'arrête que lorsqu'il l'a épuisée... Le roman, en Canada, porte un caractère tout particulier, il est essentiellement national. Il a beaucoup contribué à donner à notre littérature son originalité, si tant est qu'elle en a une... Je conseille à celui qui veut consacrer son temps et son talent à écrire des nouvelles de lire *l'Histoire du Canada* de Garneau. Il trouvera presqu'à chaque page le sujet d'un beau roman. Le roman historique est seul appelé à vivre en Canada. C'est du moins celui qui doit attirer davantage les sympathies de nos littérateurs »[30].

[29] Mgr L. A. Paquet: « La vocation de la race française en Amérique », *Ibid.* p. 322.

[30] Edmond Lareau: *Histoire de la littérature canadienne*, Lovell, Montréal, 1874, pp. 273, 274, 276.

Ainsi, on n'en sort plus : le roman est national et exemplaire, ou il n'est pas. L'abbé Raymond, dans un discours du 7 juillet 1874 en la salle académique du Séminaire de Saint-Hyacinthe, tremplin des grands mouvements édifiants et patriotiques, déplorait le fait suivant : « On voit s'introduire de plus en plus au Canada un goût pour le roman qui dénote d'abord un certain affaiblissement des forces intellectuelles et morales... Composer des œuvres romanesques semble aussi être l'objet que quelques-uns de nos compatriotes veulent donner exclusivement à leurs talents. Les littérateurs d'un pays ne doivent pas être que romanciers »[31].

Ce danger de voir tous nos littérateurs, qui n'étaient pas si nombreux, passer au genre infâme, ne menaçait pas précisément notre civilisation ; après les remarques fortement négatives de J.-O. Fontaine concernant *l'Intendant Bigot* (1872) de Joseph Marmette[32], c'est Séverin Lachapelle qui constate enfin le grand triomphe de la Science, et qui déclare avec euphorie que « le roman est vaincu »[33]. Et pourtant, si nous consultons quelques statistiques d'éditions, nous trouvons les chiffres suivants : le premier livre publié au Canada en français semble bien être le *Cathéchisme* de 1765, de Mgr Languet ; puis, de 1767 à 1800, on publie 57 livres ; de 1800 à 1850, 360 ; de 1850 à 1900, 2,407.[34] On sait que les romans représent environ 25% de ces chiffres, et que leur publication suit tout naturellement l'augmentation générale. Le roman n'est peut-être pas encore tout à fait vaincu, puisqu'il en paraît 635 de 1850 à 1900.

(31) *Revue canadienne,* 1874, tome XI, p. 606.

(32) *Revue canadienne,* 1877, tome XIV, p. 660.

(33) *Revue canadienne,* 1878, tome XV, p. 51.

(34) *Mémoires et comptes rendus de la Société Royale du Canada,* seconde série, tome 4, 1905.

NOUVELLE OFFENSIVE CONTRE LE THÉÂTRE

1874 marque également une nouvelle offensive contre le théâtre, et nous ramène à notre question principale. C'est bien à la fiction qu'on s'en prend, c'est-à-dire à cette porte ouverte sur l'évasion hors de cadres étroits, hors de contrôles bien intégrés. C'est Mgr Taschereau, un champion de la cause, qui revient à la charge : « Notre charge pastorale nous oblige, Nos Très Chers Frères, d'élever aujourd'hui la voix pour vous mettre en garde contre un danger très grave qui menace vos âmes. Une troupe nombreuse de baladins étrangers s'annonce comme devant donner des représentations théâtrales dans le cours de la semaine prochaine. Or, nous avons appris de source certaine que la morale et la décence la plus élémentaire y sont affreusement outragées. N'avons-nous pas droit de nous regarder comme insultés par cet étalage d'infamies, comme si nous nous respections assez peu nous-mêmes pour les encourager ? Dans un temps où les misères de toutes sortes font appel à notre charité, irons-nous jeter notre argent dans cette fournaise diabolique, qui l'engloutira, non seulement sans profit pour nous, mais encore au grand détriment de tout ce que nous devons regarder comme le plus précieux ? Ces spéculateurs éhontés n'auront-ils pas le droit de se moquer des pauvres victimes qu'une curiosité inqualifiable aura conduites dans le piège ? Laissez donc ces horribles scandales s'étaler dans le vide ; quand les acteurs verront que les recettes ne payent pas les dépenses, ils nous délivreront bientôt de leur présence. Et, si nos conseils ne suffisent pas pour vous détourner du danger, nous n'hésitons pas à user de l'autorité dont nous sommes revêtus. Nous défendons absolument d'assister à ces représentations théâtrales »[35].

Nous sommes ici au point culminant, avec la description clinique inoubliable des théâtres, due à la plume lyrique de Mgr Bourget : « C'est dans ces repaires de tous les vices que se commettent les crimes qui compromettent la réputation des familles les plus respectables et la paix et la prospérité des citoyens. Là en effet se font de folles dépenses pour satisfaire la sensualité et la gourmandise. Là s'entretiennent les mauvaises passions qui remplissent les maisons de prostitution. Là se dépensent des sommes fabuleuses qui prouvent que l'on est toujours riche pour le plaisir tandis que l'on se dit pauvre pour la charité. Là se prodigue follement ce que l'on a dérobé à des parents, à des maîtres, à des patrons sans défiance »[36].

On peut noter que les deux évêques s'accordent à déplorer, entre autres intérêts communs, que l'argent dépensé aux théâtres se soustrait en quelque sorte des sommes susceptibles de servir aux fins, charitables évidemment, de l'Eglise. Et ce qui est en cause, au fond, c'est toujours la question du divertissement, de l'évasion. S'il est exagéré de parler dans notre contexte québécois au dix-neuvième siècle de théocratie, nous pouvons sans doute parler d'une emprise ecclésiastique, s'appuyant sur les faits incontestables d'une politique de suppléance dont nous avons profité, mais se prolongeant dans une politique de prestige et de contrôle exagérée.

[35] *Mandements,* tome 5, p. 204, le 1 mai 1874.

[36] Cité par Léopold Houlé: *Histoire du théâtre au Canada*, Fides, Montréal, 1945, p. 72. — Cette citation est un des très rares textes où l'on mentionne l'existence de maisons de prostitution au Québec, au XIXe siècle, et elle se trouve sous la plume bien informée d'un évêque.

ÉTONNANTES CONFUSIONS LAÏQUES

La part obsédante faite à la religion se trouve chez de nombreux laïcs : ainsi, Napoléon Legendre, dans un essai sur *La littérature canadienne* (qui se trouve être un peu notre modeste « Qu'est-ce que la littérature ? » du 19e siècle) : « C'est à l'aide des monuments qu'elles ont laissées que nous avons pu connaître et juger les races aujourd'hui éteintes... Mais la littérature, les arts et la civilisation sont eux-mêmes subordonnés à une autre grande puissance... qui les inspire et les illumine, la religion et seulement la religion... Nous avons notre existence à part, et le milieu dans lequel nous avons vécu depuis trois siècles, sans altérer les sentiments d'affection qui nous relient à la mère patrie, nous a donné un certain cachet qui nous est propre, et qui se retrouve, naturellement, dans ce que nous produisons. Car nous avons sur les autres nations cet avantage littéraire que notre civilisation a marché côte à côte, pendant longtemps, avec un peuple encore barbare... Il y a toutefois un fait maintenant bien établi, c'est qu'aucune revue ne peut, dorénavant, subsister parmi nous si elle ne se résigne à rémunérer convenablement ceux qui fournissent l'aliment à sa vie intellectuelle... Nous avons cette main inhabile, je l'avoue... Il y a une seconde cause qui entrave, parmi nous, les progrès de la littérature. C'est l'absence complète d'une véritable critique littéraire »[37].

Napoléon Legendre était un observateur attentif, et même prophétique : sa délicate allusion aux Amérindiens, et sa remarque concernant la fatalité qui attend les revues sans cachets en sont preuves évidentes. Mais la critique qu'il semble souhaiter exigerait probablement une dimension moralisatrice considérable...

(37) Napoléon Legendre: *Echos de Québec*, tome 2, Imprimerie Augustin Côté, Québec, 1877, pp. 2, 4, 16, 36, 40.

Une autre vague contre la fiction se prépare dans les années 1880, dont l'initiateur, à notre grand scandale, se trouve être Crémazie : « Le roman, quelque religieux qu'il soit, est toujours un genre secondaire ; on s'en sert comme du sucre pour couvrir les pilules lorsqu'on veut faire accepter certaines idées bonnes ou mauvaises... Je puis me tromper, mais je suis convaincu que le plus vite on se débarrassera du roman même religieux, le mieux ce sera pour tout le monde »[38].

Cette attitude intolérante et radicale d'un homme de lettres, un des rares de notre littérature, trouve un contrepoint d'autant plus admirable qu'il est à peu près unique et héroïque, chez un obscur scribe, J.-J. Beauchamp, et ce, malgré l'incidence lourdement moralisante : « De bons romanciers, et le nombre augmente chaque jour, s'efforcent à ramener le roman sur son véritable terrain, et à en faire ce qu'il doit être : l'auxiliaire de la sensibilité, de la vertu et de la religion dans toutes les classes de la société »[39].

L'attitude générale de défiance, sinon d'anathème, de l'ensemble de ceux qui consentent au 19e siècle, à s'arrêter quelques heures à nos problèmes littéraires, se retrouve chez Henri Noiseux, dans un long article intitulé pudiquement l'*Action malfaisante du roman*[40] ; Alphonse Gagnon, homme sensible et sensé, musicien et littérateur, écrira pourtant dans la même publication : « On ne saurait cependant proscrire tous les romans indistinctement. Il y en a de bien pensés et bien écrits, où l'honnêteté et la vertu sont scrupuleusement respectés, et dont la lecture laisse en nous une salutaire influence. Il faut même de temps à

(38) Lettre d'Octave Crémazie à l'abbé Casgrain, *Revue canadienne*, 1881, tome I, p. 394.

(39) *Revue canadienne*, 1884, tome IV, p. 409.

(40) *Revue canadienne*, 1889, tome II, pp. 65 et 359.

autre délasser notre esprit par une lecture récréative ; il est impossible de toujours lire des livres sérieux ; l'esprit ne peut être toujours tendu par des études absorbantes ; il faut quelques lectures d'agrément pour éviter la lassitude. Aussi les auteurs attrayants ne manquent pas à celui qui veut en même temps se récréer et s'instruire ».

LE SOMMET, TARDIVEL

Peut-on mieux avouer le conformisme intellectuel lourdaud de notre société à cette époque, son moralisme grossier, la nécessité de recourir, prudemment, à cette hygiène mentale « salutaire » de l'évasion en face d'un stress hallucinant ? Ne nous arrêtons pas davantage à ce document, qui dénote bien les confusions affligeant la fiction : la pièce de résistance, celle de Tardivel, peut maintenant être servie froide : « Pour qu'un roman soit bon, il doit réunir trois qualités distinctes. Il faut d'abord qu'il soit moral, afin de ne pas porter atteinte aux bonnes mœurs... Il doit de plus nous intéresser. Sans l'intérêt, l'écrivain n'atteint pas le but qu'il s'est proposé, qui est d'amuser, de délasser le lecteur... Une troisième (qualité), très importante, indispensable même : la correction du style[41]—. Le roman, surtout le roman moderne, et plus particulièrement encore le roman français, me paraît être une arme forgée par Satan luimême pour la destruction du genre humain. Et malgré cette conviction j'écris un roman ! Oui, je le fais sans scrupule ; pour la raison qu'il est permis de s'emparer des machines de guerre de l'ennemi et de les faire servir à battre en brèche les remparts qu'on assiège... Le roman est donc, de nos jours, une puissance formidable entre les

[41] J.-P. Tardivel: *Mélanges,* tome 1, pp. 219-220; critique de *Le Pélerin de Sainte-Anne* de P. Lemay parue le 11 juillet 1877 dans *Le Canadien.*

mains du malfaiteur littéraire. Sans doute, s'il était possible de détruire de fond en comble cette terrible invention, il faudrait le faire pour le bonheur de l'humanité... Pour livrer le bon combat, il faut prendre toutes les armes, même celles qu'on arrache à l'ennemi... Pour moi, le type de roman chrétien de *combat,* si je puis m'exprimer ainsi, c'est ce livre délicieux qu'a fait un père de la Compagnie de Jésus et qui s'intitule *Le Roman d'un Jésuite...* »[42].

Il ne servirait à rien d'essayer d'établir un peu de logique dans les positions littéraires ou autres d'un énergumène de la taille de Tardivel : son témoignage, un des premiers témoignages « engagés » de notre culture, nous indique jusqu'à quel point les idées étaient confuses à la fin du siècle précédent. Celui qui implorait Dieu de toujours protéger notre pays du fléau des théâtres, vouait à Louis Veuillot un culte qui a influencé toute une tradition critique locale : « Une des plus grandes figures des temps modernes vient de disparaître ; le plus puissant écrivain de ce siècle, le père du journalisme catholique n'est plus : Louis Veuillot est mort ! Que sa belle et grande âme qui a tant lutté, qui a tant souffert ici-bas, goûte là-haut les ineffables jouissances du repos éternel »[43].

Repos que nous ne voudrions pas troubler, et que nous souhaitons voir partagé intimement par Tardivel ; mais l'engagement ne se limitera pas à cette position militante : A.-B. Routhier prétend de son côté que la littérature doit témoigner d'une société : « La littérature d'un peuple est son verbe : c'est par elle qu'il manifeste au monde ses idées, ses croyances, ses affections, son rôle et ses

[42] Tardivel: *Pour la Patrie (roman du XXe siècle),* Cadieux et Derome, Montréal, 1895, pp. 3, 5-6.

[43] Tardivel: *Mélanges,* tome 2, Demers, Québec, 1901, p. 356.

destinées »[44]. Et notre psychanalyse est encore à faire, dans cette perspective... Autre témoignage significatif que celui, plus objectif, de Charles ab der Halden : « Chants et chansons... Contes... Fables... Poésie.. Histoire... Le roman... Quand on étudie les actes de ces pionniers de la civilisation dans l'Amérique du Nord, on songe qu'ils ont eu plus pressante tâche que d'écrire des romans ; il fallait les faire... Théâtre... Chronique... Journaux et revues... ».

« Aussi longtemps, disait Crémazie, que nos écrivains seront placés dans les conditions où ils se trouvent maintenant, le Canada pourra bien avoir, de temps en temps, comme par le passé, des accidents littéraires, mais il n'aura pas de littérature nationale »[45].

A BAS... MARIA !

En 1905, une nouvelle campagne anti-théâtrale se déploie, à l'occasion de la *x*ième tournée d'adieux de Sarah Bernhardt, qui vient jouer en Amérique française *La sorcière* de Sardou, *Angelo* de Hugo, *La Dame aux camélias* de Dumas, *La Tosca*, etc. Ce répertoire est condamné par les évêques de Québec et de Montréal, et Sarah s'emporte au point de déclancher une vague d'hostilité qui se termine par des bouquets de fraternité judéo-chrétienne : « A bas la Juive ! ».

« Les théâtres sont actuellement un danger redoutable pour la morale ; il faut en éloigner notre peuple, et particulièrement la jeunesse, sur la vertu de laquelle nous devons veiller avec le plus grand soin... Nos très chers frères, laissez-nous

[44] *Le Répertoire national (ou recueil de littérature canadienne)*, compilé par J. Huston, membre de l'Institut canadien de Montréal; Valois, Montréal, 1893, deuxième édition, p. IX.

[45] Charles ab der Halden: *Etude de littérature canadienne française*, Rudeval, Paris, 1904, pages L et 123.

vous le dire : c'est moins contre quelques pièces de théâtre que contre les mauvais théâtres en général que nous vous avons mis en garde... Nous ne reculerons pas devant notre devoir et nous verrons alors où sont ceux qui veulent être les fils soumis de l'Eglise et ceux qui méprisent ses commandements... »[46].

On discerne facilement, sous les nuances, qu'il ne s'agit pas d'une condamnation en bloc, mais bien d'une mise en garde contre les mauvaises influences menaçantes, l'impatiente manifestation nuancée encore, s'en trouve chez Camille Roy : les années passent, et on ne peut plus se permettre de mettre de l'avant les mêmes impératifs catégoriques... Après avoir déterminé les trois caractères généraux de notre littérature canadienne:

1) d'inspiration française, par sa langue et ses procédés ;
2) d'inspiration nationale, par sa matière et sa mentalité ;
3) d'inspiration catholique, par sa seule religion ;

Camille Roy poursuit : « Le roman est apparu assez tard dans l'histoire de la littérature canadienne-française. Ce genre littéraire, qui exige pour y réussir une imagination bien disciplinée, une science profonde de la vie, et un art très adroit, a souffert des conditions pénibles où s'est pendant longtemps développée notre littérature »[47].

C'est chez un autre prêtre-critique, dont les générations se succèdent régulièrement au Québec, poursuivant ainsi une surveillance attentive et une pression dirigée, que nous trouvons d'autres vues fertiles. L'abbé Albert Dandurand, dans son étude de 1937 sur *Le Roman canadien-français*, note

[46] *Mandements*, tome 13, Mgr Bruchési: le 13 novembre 1905, p. 751; le 2 décembre 1905, pp. 759-760.

[47] Mgr Camille Roy: *Histoire de la littérature canadienne*, Québec, 1930, p. 97.

d'abord un « remarquable essor intellectuel » à partir de 1830, qui se manifeste par la multiplication des librairies et des bibliothèques à Québec et à Montréal ; jusqu'en 1860 toutefois, la production littéraire sera peu abondante, parce que la vie intellectuelle est fort limitée, perdue par ailleurs qu'elle est dans la pastorale romantique, dans les légendes fantastiques, dans les influences mal digérées ; jusqu'en 1900, notre roman sera peu réaliste, encombré d'une grande vague romantique, qui ignore Flaubert, Balzac, et Zola ; en somme, « s'il n'a pas créé une foule de chefs-d'œuvre, on lui doit des pages qui constituent de vrais documents sur le passé, quelques écrits de bonne qualité et surtout une précieuse collection de légendes qui forment, pour ainsi dire, les Mille et une Nuits du Québec »(48).

Avec Dostaler O'Leary, nous reconnaissons, avant d'achever cette aride exploration des tribulations de la fiction dans notre littérature canadienne-française au dix-neuvième siècle, qu'« Il aurait mieux valu continuer à exploiter la veine d'aventure qui inspira nos tout premiers romanciers dont les œuvres, sans être de premier plan, présentaient quand même un aspect moins étriqué que celles qui suivront. On y retrouvait, au moins, la nostalgie des grands espaces qu'avaient sillonnés les ancêtres de la grande époque française »(49).

A la fin de son étude sur *Le roman et le Canada français du XIXe siècle,* Séraphin Marion rappelle cette boutade qui voudrait que les meilleurs romans ne valent rien : et il faut reconnaître qu'en général telle a été l'attitude au Québec du 19e siècle en face de ce genre littéraire inférieur et

(48) Abbé Albert Dandurand: *Le roman canadien-français,* Editions Albert Lévesque, Montréal, 1937, p. 162.
(49) D. O'Leary: *Le roman canadien-français,* Cercle du Livre de France, Montréal, 1954, p. 41.

pervers, aucunement susceptible de fournir le chef-d'œuvre de noblesse et de grandeur qu'on attendait rageusement depuis l'insulte de Lord Durham. On se méfie de livres capables de mettre en scène des passions tumultueuses, et donc de troubler la fragile tranquillité de prudes âmes ; d'autres déclarent sans ambages que c'est perdre son temps que de se laisser aller ainsi à des histoires inventées, alors que la réalité navrante réclame âprement toutes les énergies ; d'autres, et les défaitistes ne manqueront jamais, se résignent avant de combattre à la supériorité éternelle du livre français sur l'hypothétique livre québécois ; quelques-uns consentent à reconnaître la possibilité de tolérer un certain roman moralisant ; et deux ou trois hérault osent dire que le roman constitue probablement une forme d'expression littéraire défendable.

On n'en écrit pas moins des romans, et en 1944 Séraphin Marion nous explique finalement, dans un élan lyrique curieux, que *Maria Chapdelaine*, « cette bienfaitrice qui transforma en féerie une vie jusqu'alors obscure » fera connaître à notre littérature romanesque « des heures de triomphe après des années d'infortune ». *Maria* devient une Cendrillon, une bonne fée, qui « fera les délices des petits et des grands des quatre coins du monde » ; qui « pénétrera dans le palais des rois comme dans la chaumière des paysans » ; qui « révélera à l'univers, en des pages immortelles, l'existence d'un Canada français fier de ses origines et conscient de sa haute destinée »[50]. C'est rappeler bien maladroitement deux éléments déplorables de notre littérature : le fort courant messianiste et idéaliste du roman au 19e siècle, et l'inévitable tendance du colonisé intellectuel à jouir de l'accueil du colonisateur, ou de l'étranger.

(50) Séraphin Marion: *Les lettres canadiennes d'autrefois*, tome IV, 1944, pp. 43-45.

Plusieurs remarques pourraient être faites à la fin de ce rapide examen des attitudes en face du roman au Québec au 19e siècle. Et d'abord que le phénomène en cause est celui de la fiction, celui de l'imagination qui échafaude des mondes inventés en marge de la réalité ; or l'attitude générale de l'époque, il faut le reconnaître, est une attitude de monolithisme, d'idéalisme, de moralisme, d'intégrisme, et de dissimulation. Il y aurait ici tout un développement à établir à partir de ce texte de Mme de Staël : « Dans l'Orient, le despotisme tourna les esprits vers les jeux de l'imagination ; on était contraint à ne risquer aucune vérité morale que sous la forme de l'apologue. Le talent s'exerça bientôt à supposer et à peindre des événements fabuleux. Les esclaves doivent aimer à se réfugier dans un monde chimérique ; et comme le soleil du midi anime l'imagination, les contes arabes sont infiniment plus variés et plus féconds que les romans de chevalerie »[51].

Nous avons eu aussi nos récits « fabuleux » ; mais ce sont les rigueurs de l'hiver qui ont à la fois exacerbé et amorti nos imaginations, et, à l'examen détaillé, nos romans dénotent bien un immense essai, avorté inévitablement, de libération.

D'un côté, les membres du clergé défendaient instinctivement leurs positions et leurs systèmes de valeurs : tout ce qui avait tendance à rompre l'équilibre établi et privilégié de la structure paroissiale et de la hiérarchie prestigieuse sera rudement réprouvé ; les évêques et curés étaient appuyés par tout un contingent de bien-pensants, dévorés de bonnes intentions mais prêtant trop volontiers de mauvaises intentions à tous ceux qui

[51] Madame de Staël: *De la littérature considérée dans ses rapports avec les institutions sociales,* édition critique de Paul Van Tieghem, Droz-Minard, Paris, 1959, p. 164.

ne pensaient pas exactement comme eux : ces « zouaves » détenaient souvent des postes importants, grâce d'ailleurs à l'appui clérical en plusieurs cas, et abusaient gracieusement de leurs privilèges : nos pionniers de la foi et de la civilisation, pour reprendre l'expression même de la thèse messianiste, avaient fort bonne conscience, et fort beau jeu.

De l'autre côté, les romanciers sont des apprentis : ils écrivent lourdement, pour la plupart, et disposent de moyens grossiers. C'est l'inverse qui aurait été étonnant, puisqu'aucune tradition littéraire n'existait, puisque l'instruction ne se répandra que graduellement tout au long du siècle, puisque les livres étaient relativement rares, puisque les livres plus importants des littératures étrangères étaient mal accueillis, puisque les préoccupations générales n'avaient rien d'esthétique...

Notre littérature en était à ses débuts ; sa démarche est gauche, touchante sans doute pour ceux qui lui sont sympathiques, mais inévitablement ridicule. C'était l'époque du plagiat, des imitations, des emprunts qu'on oublie de rendre ou de reconnaître ; or il semble plus facile d'imiter la thématique et la stylistique du genre poétique, qu'il ne l'est du genre fictif ; et la poésie jouissait d'une considération toute emphatique, alors que le roman était regardé comme un phénomène peu rassurant, et le théâtre comme un danger public.

N'est-ce pas Berthelot Brunet qui terminait sa cursive *Histoire de la littérature canadienne-française* par cette phrase : « Mais, hélas, la littérature ne nous est que métier d'occasion, le plus souvent »[52] Rappelons dans le même sens la position d'Antoine Gérin-Lajoie au huitième chapitre de

[52] Berthelot Brunet: *Histoire de la littérature canadienne française,* L'Arbre, Montréal, 1946, p. 179.

Jean Rivard le défricheur : au 19e siècle, on parlait plus volontiers de la « volupté du travail physique » que du goût pour le travail intellectuel. Il serait inexact de parler du décor édénique, en regard de notre roman à l'époque : c'est un décor d'inhibitions et de refoulements, de contraintes et de dissimulations, dont rend bien compte ce que l'on considère comme étant la meilleure œuvre de l'époque, *Angéline de Montbrun* : le fatal échec de l'amour sert de procédé exemplaire et dévoile le fond secret de tout un siècle de littérature, timidement suggéré dans un autre titre de Laure Conan, *L'obscure souffrance* (53).

Car il ne faut pas s'illusionner : notre roman au 19e siècle traduit l'échec de notre civilisation, de notre vie collective, à la même époque; comment en aurait-il pu être autrement ? L'alchimie, la piraterie, l'aventure fabuleuse, ne sont que des schèmes d'évasion, et le centre de gravité de cette littérature, car c'est une littérature, malgré ses dimensions d'imitations et de gaucheries, se trouve dans la dramatique aliénation qui se poursuivra plus cruellement au vingtième siècle : les Canadiens français se prenaient pour ce qu'ils n'étaient pas et ne se prenaient pas pour ce qu'ils étaient : des Québécois.

(53) Ce texte a été écrit en 1963. — En le terminant, je recevais le livre de Mason Wade: *Les Canadiens français (de 1760 à nos jours)*, Cercle du Livre de France, Montréal, 1963, 685 pages; il semble s'y trouver des considérations dont il faudrait tenir compte dans la poursuite des recherches entreprises ici.

LE SACRE DANS LE PARLER QUÉBÉCOIS

Cette brève étude concerne l'emploi du sacre dans le parler français-canadien,[1] dans certaines régions du Québec, et a pour but d'aborder un problème qui mérite une plus large et plus longue observation. Etant donné qu'à peu près rien n'existe sur le sujet, l'entreprise devient intéressante, malgré sa rapidité et ses lacunes.[2]

En essayant de préciser la notion de *sacre*, nous abordons des notions voisines, comme « juron » et « blasphème ». Le dictionnaire Robert définit ainsi *juron*: terme plus ou moins familier dont on se sert pour jurer ; *blasphème* : parole qui outrage la Divinité ou la religion ; dans le *Dictionnaire canadien-français* de Sylva Clapin, nous trouvons à *sacre* le commentaire suivant : « lâcher un feu

[1] L'expression « parler français-canadien » est une concession de la terminologie linguistique courante...
[2] Ce texte a été écrit en 1963.

roulant de jurons », le mot « jurons » étant employé à peu près dans le sens qu'on lui donne dans le dictionnaire Robert ; dans le *Glossaire du parler canadien-français,* on trouve au mot *sacre,* en premier sens, les synonymes « juron, blasphème », ce qui établit une différence radicale par rapport aux dictionnaires de la langue française où ce sens se trouve en cinquième ou dixième lieu.

Nous proposons une notion descriptive du *sacre,* qui nous apparaît comme l'emploi abusif des termes se rapportant aux choses de la religion, ou bien dans des formes blasphématoires, ou bien dans des formes atténuées ; le sacre se trouverait ainsi placé entre le blasphème proprement dit et le juron commun.

RÉPARTITION SOCIALE

Les échantillons que l'on peut recueillir du « sacre » québécois ainsi compris sont souvent pittoresques et se rattachent à un aspect dynamique du parler français-canadien dans notre pays ; nous nous limitons à une série de formes communes observées dans les Laurentides, en Beauce, en Gaspésie, en Abitibi, et sur les chantiers de construction de la région de Montréal ; viennent s'ajouter à ces zones, celles des milieux étudiants de Montréal, celles de quelques tavernes, et celles de milieux religieux ; les personnes observées varient, de l'ouvrier à l'ingénieur, du fonctionnaire au curé, de la femme de chambre à la Sœur de telle congrégation, de la mère exemplaire d'une famille canadienne-française nombreuse à la fille enceinte qui travaille au restaurant de quartier en attendant d'entrer à la Miséricorde, d'un groupe d'étudiants d'un collège d'avant-garde de Montréal à un groupe de professionnels réunis pour se remémorer leur beau temps de l'Alma Mater...

Le sacre semble un sport oral pratiqué surtout dans des pays à forte proportion catholique, comme l'Italie, l'Espagne, et le Québec : ceci se comprend facilement, puisque l'élément principal se trouve être d'ordre collectif ; le sacre est un phénomène sonore social, en rapport avec un milieu où on répète spontanément ce qu'on entend ; ainsi, des enfants de quatre ans peuvent fort bien nous étonner de leur pouvoir « sacral » (ici, en rapport avec le sacre...) précoce, étant donné qu'ils sont en plein apprentissage linguistique, où tous les matériaux dans l'air sont enregistrés et utilisés d'une façon spontanément expérimentale.

Ajoutons quelques remarques concernant la distribution sociale observée dans l'emploi du sacre au Québec ; très généralement, on ne sacre pas quand on est seul, et il semble ici que le sacre ait une dimension sociale un peu spectaculaire (on a remarqué à juste titre que le gamin qui commence à sacrer, ou à fumer, le fait surtout pour se prouver à lui-même et pour prouver aux autres qu'il est devenu un homme, et qu'il peut afficher un comportement équivalent à celui des adultes ; il se trouvera toutefois des situations où le sacre jaillira spontanément, avec ou sans témoin, comme dans le cas où le pouce de la main gauche se trouve un peu froissé sous un marteau malencontreusement dirigé par la main droite) ; à l'inverse, on peut observer ce qu'il peut-être permis d'appeler un sacre de bonne compagnie, dans des soirées de familles ou d'amis intimes ou d'anciens de collège, dans certaines fêtes où les invités sont un peu mal à l'aise (et où il arrivera parfois qu'on se mette, sans trop savoir pourquoi, à conter des histoires salées) ; le sacre peut aussi se trouver temporairement inclus dans une série de phénomènes révélant une forte réaction à des contrariétés précises, ou à des sentiments violents, colère, surprise, etc. ; enfin, le sacre peut se rattacher à une emphase phonétique qui souligne les modulations généreuses d'une belle voix naturelle et qui compense, avec grand renfort de sonorités riches, les déficiences de vocabulaire.

Sans entrer dans une courte psychanalyse du sacre, nous pouvons distinguer le sacreur chronique, le sacreur intermittent, et le sacreur accidentel ; le sacreur chronique le fait abondamment, à plein temps et à pleine bouche, et le sacre devient chez lui une ponctuation sonore encombrante et inévitable (souvent chez les camionneurs, les débardeurs, etc.) ; le sacreur chronique établit l'épopée des choses religieuses dans une version inusitée de basse-cour, alors que le sacreur intermittent en développe la dimension lyrique, dans certaines circonstances, selon certains cycles, pour bien souligner telle nuance affective (on utilise les moyens d'expression dont on dispose) ; finalement, le sacreur accidentel devient souvent le premier spectateur étonné des énormités qui lui sortent de la bouche, dans des circonstances exceptionnelles (la jolie fille qui fait de l'auto-stop pour aller à la plage et qu'un autre automobiliste cueille juste avant lui ; la belle-mère qui arrive le vendredi soir précédant une fin de semaine qu'on espérait passer en paix ; la boîte de métal aux arêtes tranchantes qu'on échappe à côté de l'endroit où se trouve son pied, etc.).

FORMES PREMIÈRES DU SACRE

On peut distinguer rapidement quatre séries de formes de sacres : les formes premières, sauce de la cuisine sacrale ; les formes atténuées, en usage dans certains milieux censurés ; les formes prolongées, plus précisément situées au niveau du phénomène linguistique dynamique ; et les formes complexifiées, relevant d'une haute spécialisation où notre initiation se trouve encore fragmentaire.

Les formes premières se composent de mots du vocabulaire religieux, liturgique ; ces mots sont tout naturellement adaptés aux exigences concrètes d'une phonétique aussi explosive qu'expressive. Le mot *maudit*, quoique ne relevant pas directement du monde religieux, devient ainsi le premier élément du vocabulaire sacral (toujours dans le sens : qui a rapport au sacre, pour les besoins de la présente cause) ; *maudit* est abondamment employé, et trouve des variantes que nous relèverons dans les formes prolongées.

Des personnages religieux sont cités, et invoqués par leur nom, dans le vocabulaire sacral ; le Christ reçoit les premiers honneurs, et ceci coïncide curieusement avec certaines exigences récentes de la liturgie catholique, qui demande que, dans les églises, on rétablisse la perspective hiérarchique naturelle, ce que les sacreurs, gens très souvent spontanés et naturels, ont bien compris ; le mot *Christ* est familièrement prononcé KRISS, avec une complaisance évidente dans cette émission phonique unique, d'une richesse sonore exceptionnelle ; le nom de Vierge est fréquemment pris abusivement, en lui accordant la variante générale de VIARGE ; le nom du Saint-Esprit est aussi quotidiennement évoqué, dans les affaires de seconde classe, habituellement.

Les objets du culte les plus souvent employés dans le langage sacral sont, avec leur variante phonétique coutumière : calice : kâlisse ; cierge : ciarge ; étole ; ciboire : cibou-ère ; ostensoir : ostensouère (par exemple, dans l'expression courante dans certaines régions : « C't'ostensouère-là ! »); tabernacle : tabarnak' (une des formes les plus courantes et les plus sonores) ; hostie : ostie (très fortement mordue dans la première syllabe) ; etc. Il faut remarquer ici que certains éléments du vocabulaire liturgique ne sont jamais employés ; au rayon des ornements sacerdotaux, je n'ai jamais entendu les mots manipule ou aube ; au rayon des outils religieux, les noms de patène ou de croix sont inusités, mais on emploiera le verbe « crucifier » dans des sens non orthodoxes.

Avant d'aborder le chapitre des sacrements, disons un mot de *calvaire*, très copieusement employé, et de *sacré*, utilisé par exemple dans des formules du genre de celles-ci : ce sacré-t-animal-là, on l'a sacré dehors, mon sacré fou (plus familier). Le mot *sacrement*, fortement accentué en SAKREMAN ou en SAKERMAN selon les régions, est fréquent ; le mot baptême devient ordinairement BATEME ; les autres sacrements sont à peu près inusités, sinon par des intellectuels pervertis qui font des démonstrations spectaculaires manquant tout à fait de conviction affective.

FORMES ATTÉNUÉES

Les formes atténuées du sacre sont plus amusantes, et cela devient un sport malicieux d'en déceler les déguisements sous les censures locales, par exemple dans les couvents, les hôpitaux, les sacristies et les cuisines. Ainsi, on relève dans la bouche de bonnes mères de famille, de religieuses pieuses et de couventines appliquées des expressions comme « Mon doux Jésus, Bonne Sainte Anne, Mon doux Seigneur, Seigneur », dans un contexte d'emploi abusif qui répond bien à notre description initiale du sacre, mais évidemment dans l'orientation édulcorée des formes atténuées.

Chez des collégiens qui se sont laissés gagner par la détestable habitude du sacre, un confesseur prudent conseillera de recourir à des formes de transition ; c'est ainsi que Christ deviendra cristal, crime, clisse, crousse ; Dieu deviendra Bon Dieu, Bon Yeu, Bon Yenne, Bazouèle ; chez de jeunes étudiantes infirmières talonnées par des religieuses zélées, on remarque l'intolérable « tabarnake » se transformer en tabarnouche ou en tabarouette, et « baptême » devenir batinse, batêche, batinde, batinche ; on trouve aussi dans le même contexte adouci, mais souvent bien énergique, sacristie devenir sapristi, sacré-Dieu devenir cré-yé, et le fréquent emploi de « sacripant » par des mères de famille pour désigner des enfants trop turbulents.

FORMES PROLONGÉES

A l'opposé des formes atténuées, on trouve les formes prolongées, qui sont des développements parfois pittoresques des formes premières. Ainsi, le mot vierge, qui donne à l'emploi sacral VIARGE, devient dans son emploi sous forme de verbe *déviarger* : je vas te déviarger la face, j'ai tout déviargé mon char (ici, le sens fort est retenu, puisqu'il s'agit toujours d'une nuance affective importante qui est ainsi signifiée par l'emploi de l'expression « déviarger ») ; sous forme adjectivale, VIARGE perd son sens fort, et devient ponctuation sonore : c'est une viarge de belle journée ; employé seul, comme commentaire cursif, VIARGE est habituellement affirmatif, à moins qu'il ne soit employé dans l'expression « viarge-non » !

Le mot *maudit* donnera l'adverbe « mauditement » (t'as mauditement ben fait), et le verbe « maudire » aux sens multiples (j'vas t'maudire une claque, j'm'en maudis ben, etc.) ; KRISSE donne le verbe « crisser » (j'm'en crisse, il a crissé son camp, tu lui en as crissé toute une, etc.) ; KALISSE donne le verbe kâlisser, et est employé comme adjectif habituellement admiratif (c'est une kâlisse de belle femme) ; BATEME nous donne un verbe d'un emploi moins fréquent, « baptêmer ».

Il devient intéressant de constater que les formes premières des sacres se développent, sous formes d'adjectifs, de verbes, d'adverbes, et témoignent d'une vitalité linguistique remarquable.

FORMES COMPLEXES

A partir des formes complexes, nous entrons dans la perversion sacrale, royaume réservé aux sacreurs chroniques ou aux érudits de salons bizarres ; ici, on décline, on conjugue, on se complaît dans des torrents et des avalanches, et il faut bien reconnaître que, malgré le pittoresque de la chose au niveau de la linguistique, nous sommes dans un contexte fort peu élégant ou poli.

Il ne serait pas utile d'accumuler les accumulations, et nous indiquons seulement quelques exemples typiques. « Krisse de kâlisse de tabarnake d'osti d'saint-cibouère » (ceci était le sacre complexifié favori d'un ouvrier de la construction, qui l'employait régulièrement, plusieurs fois par heure, sans s'en rendre compte ; est-il prudent de rappeler que, dans ces conditions, sa responsabilité morale en est fortement diminuée ?) ; je vous en propose une version pour mathématicien : « Krisse au carré, au cube, à la dixième puissance » (authentique) ; et une autre version, pour général à sa retraite : « des krisses quatre de front par rangées de douze jusqu'à demain matin à l'heure de la grand'messe » (authentique, chez un militaire légèrement anticlérical) ; l'échantillon suivant m'a été fourni par un prêtre au langage un peu vert : « ostie toastée trempée dans l'huile à lampe » ; les expressions « c't'osti d'pap'là » ou « c't'osti d'prêtre-là » sont employées, souvent en relation avec des personnages qui ne sont pas des religieux, mais que l'on déteste généreusement ; finalement, deux expressions d'un pittoresque émouvant : « j'm'en contre-kâlisse » (Gaspésie), et « je m'en contrecrisse » (prélevé dans le roman[3]

[3] Depuis 1962, plusieurs écrivains québécois ont utilisé le sacre dans leurs œuvres, la plupart du temps comme sauce piquante dans le langage usuel et populaire dénommé *joual*. Parmi les romanciers, Fournier, Renaud; au théâtre, Tremblay; en poésie, Godin; en chanson, Robert Charlebois, pour en citer quelques-uns seulement.

de Roger Fournier, *Inutile et adorable*, 1963, p. 63).

Poursuivre cet examen des formes complexes serait verser dans la complaisance et l'indécence. Ajoutons seulement que très souvent, à ce niveau d'emploi du sacre, nous y trouvons mêlés des éléments du langage ordurier, scatologique, obscène.

PETITE PSYCHANALYSE DU SACRE

Une petite psychanalyse du sacre serait peut-être révélatrice de certaines tendances de la psychologie collective du peuple québécois ; non pas que nous soyons d'aussi terribles sacreurs que le veut une légende : deux Canadiens peuvent fort bien se reconnaître à l'étranger autrement que par les sacres qui ponctueraient et émailleraient leurs conversations. S'il est malaisé d'établir des statistiques officielles concernant l'emploi des sacres dans le parler français-canadien, il est par ailleurs facile de tendre l'oreille et d'entendre un répertoire sacral abondant.

Certains milieux sont plus portés à la pratique du sacre, qui semble demeurer un phénomène de mimétisme collectif, au niveau d'une sorte de contagion sonore, dans le monde de la langue ; ainsi, les ivrognes, les ouvriers de la construction, les débardeurs sont plus fréquemment des sacreurs que les collets blancs ou que les collégiennes ; toutefois, certains professionnels, certains fonctionnaires, certains chefs d'entreprises, certaines mères de famille pourraient soutenir le dialogue sacral avec n'importe quel charretier soucieux de sa réputation en la matière. Il faut remarquer un fait étonnant concernant le sacre : un « bon » sacreur ne sacre ordinairement pas devant n'importe qui, une auto-censure s'exerce, et j'ai entendu des ouvriers au langage sacral fleuri et épanoui répondre d'une voix douce que je ne leur reconnaissais plus aux questions d'architectes en visite sur les chantiers, sans aucun sacre.

Le sacre n'est pas nécessairement en relation avec une volonté blasphématoire, ou avec l'expression spontanée d'un sentiment antireligieux profond, ou avec la traduction naturelle d'une familiarité affective des choses du culte ; le sacre possède un caractère exutoire, il devient une ponctuation sonore dénuée la plupart du temps de toute intention offensante ; expression explosive d'un sentiment violent qui n'est pas toujours la colère, le sacre rejoint toute une série de manifestations spontanées, comme cogner du poing, taper du pied ; très généralement, le sacre est une habitude, détestable sans doute, et fort peu élégante, mais tout le monde n'a pas le temps, les moyens ou l'éducation de l'élégance ; faute d'autres possibilités linguistiques satisfaisantes au niveau de l'expression verbale, le sacre éclatant et bien senti devient compensation pour un vocabulaire défectueux, pauvre et hésitant ; en retour, le langage sacral trouvera dans son propre contexte le moyen de se déployer en variantes, conjugaisons, proliférations étonnantes de vitalité linguistique, et c'est dans cette perspective qu'il devient révélateur comme phénomène de langue ; le sacre est une ponctuation phonétique argotique, une figure de style pour pauvres en vocabulaire ; il faut bien en saisir la dimension non liturgique, mais strictement phonétique, équivalente aux sonorités exclamatives de telle onomatopée, de telle interjection, de telle apostrophe ; ainsi, ouch !, torvis, torrieu, bon-yeu, mozusse, tabarnouche, calvénusse, crousse...

Le sacre manque d'élégance, c'est entendu ; comme toutes les petites manies, il est agaçant et contagieux aussi ; et on trouve des milieux sociaux où l'on fume, boit, danse, fornique, ou sacre davantage. Mais « Mon doux Jésus », « Seigneur »,

« Bonne sainte Anne » sont autant d'expressions abusives, employées dans des circonstances quotidiennes souvent insolites, comme simple ponctuation sonore, dans tels milieux pieux ; ces invocations intempestives et renouvelées établissent des litanies marginales qu'il est possible de critiquer au même titre qu'on le fait des sacres courants, c'est-à-dire sous la rubrique des abus inconsidérés.

Le sacre pourrait être rattaché, en partie du moins, au langage de l'argot dont les qualités de verdeur, de dynamisme et d'originalité ont déjà été soulignées par Hugo ou Benjamin Péret.

Et le sacre demeure une zone peu étudiée de l'évolution de la langue, un phénomène linguistique bien vivant, et révélateur, qui mérite plus que ces quelques paragraphes.

SURVOL DU THÉÂTRE QUÉBÉCOIS[1]

Sous le Régime français, les préoccupations coloniales monopolisaient l'attention et les efforts des organisateurs et fondateurs du pays de Neuve-France. Peuplement, expansion territoriale, exploitations des ressources naturelles en vue d'une économie suffisante, défense contre les attaques des rivaux anglais et les timides contre-attaques des indigènes matraqués. La vie intellectuelle et artistique de l'époque se comparait à celle d'une province française éloignée de la stimulante vie métropolitaine, les routes n'étant pas tellement plus efficaces et rapides que les mers...

Fin décembre 1646, soit dix ans après sa créa-

(1) Ce texte est d'abord paru en août 1961 dans la *Revue dominicaine,* et a été légèrement remanié pour la présente édition. Entre-temps, le théâtre est entré dans les mœurs des Québécois, ou du moins, des Montréalais. Certaines citations recoupent inévitablement celles du chapitre intitulé *Tribulation de la fiction au 19e siècle.*

tion parisienne, on présente *Le Cid* au magasin des Cent Associés, à Québec. Par la suite, d'année en année, on monte quelques spectacles, allant de Corneille, Racine et Molière à la comédie de vaudeville de Joseph Quesnel et compères, en passant par des grands drames, à la taille du pays, en français-huron-algonquin-anglais !

ÉVOLUTION DE L'ATTITUDE DU CLERGÉ

On se souvient qu'en France, à la fin du dix-septième siècle, se déroulait la querelle du théâtre, préparée par les jansénistes et reprise, sur un ton plus savant, par Bossuet. C'est justement en marge du *Tartuffe* de Molière qu'ici comme là-bas la censure ecclésiastique intervient, et puisque le Canada français ne connaîtra pas le dix-huitième siècle français, on attendra deux siècles avant de voir jouer ici *Tartuffe.* « La jeune Eglise canadienne devait avoir le souci de ne pas laisser porter atteinte à son prestige »[2], et Mgr de Saint-Vallier menace d'excommunication le lieutenant de Mareuil qui préparait le spectacle du *Tartuffe* : devant un gouverneur de la trempe de Frontenac, l'évêque préfère recourir à la diplomatie... économique, et lui offre une indemnité de cent pistoles s'il laisse tomber son Molière infâme : ce pot-de-vin liturgique attirera un blâme de la Cour, bien mérité, à Monsieur de Frontenac.

« Assister à une représentation théâtrale constitue un péché grave », déclare Mgr de Saint-Vallier en 1699 ; un siècle plus tard, Mgr Plessis reprendra sensiblement la même interdiction (1792), et à la fin du XIXe siècle (1890), Jules-Paul Tardivel demandera avec ferveur et fureur « que Dieu préserve toujours notre pays du fléau des théâtres »

[2] Jean Béraud: *350 ans de Théâtre au Canada français*, pp. 12-13.

pendant que le juge Routhier déclarera solennellement que « la pire des choses après la guerre, c'est la plaisanterie ». Il faut dire que Jules Fournier y était pour quelque chose, comme témoin à charge !

On peut ajouter la lettre de 1873 de Mgr Taschereau mettant à l'index dans la Province de Québec le théâtre français, et interdisant par le fait même les catholiques de le pratiquer ou de le fréquenter ; et la description des théâtres d'après Mgr Bourget, l'année suivante : « C'est dans ce repaire de tous les vices que se commettent les crimes qui compromettent la réputation des familles... Là s'entretiennent les mauvaises passions qui remplissent les maisons de prostitution. Là se dépensent des sommes fabuleuses qui prouvent que l'on est toujours riche pour le plaisir tandis que l'on se dit pauvre pour la charité... »

Bossuet ne se serait jamais ainsi découvert, en ouvrant son propre jeu ! De fait, l'attitude antipathique de certaines personnalités religieuses plus ou moins officielles n'était pas pour contribuer à l'essor de notre théâtre. En 1880, Sarah Bernardt aura beau rire de la colère et de l'interdiction de l'évêque de Montréal, il n'en reste pas moins qu'en 1905, « plusieurs notables de la ville, en signe de respect et de soumission envers leur archevêque »[(3)] lui font parvenir leurs billets réservés... Quelques lettres pastorales, quelques anathèmes, plusieurs interventions et pressions de coulisses, et après ?

Le clergé est-il seul responsable de notre fade vie théâtrale, pendant trois siècles ? Une double mise au point semble importante ici ; l'une concerne l'histoire comparée du théâtre, et l'autre se rapporte aux activités théâtrales de nos collèges religieux et séminaires.

(3) *op. cit.*, p. 119.

LE THÉÂTRE DANS NOS COLLÈGES

Il y a toujours eu dans l'Eglise de fortes méfiances en face du phénomène théâtral, ce qui n'a pas empêché les Jeux et Mystères du Moyen-Age, sur les parvis des cathédrales. Les noirs corbeaux de Port-Royal, l'excommunication de Molière et les fougues de Bossuet n'ont pas empêché la manifestation de *Polyeucte, Tartuffe* ou *Athalie.* Et les foudres épiscopales n'ont pas empêché, ici même, que les séminaires et collèges *religieux* jouent un rôle capital dans la survie d'une tradition théâtrale, aussi pâle fut-elle, puis dans la poussée encore toute proche d'une vie théâtrale remarquable.

Dès 1668, les élèves du collège des Jésuites montaient une *Passion* en latin. « Nos collèges et couvents, en opposition aux scènes et troupes naissantes, perpétuèrent le goût de l'art dramatique comme instrument de culture et moyen de maintenir à la langue son prestige et sa pureté »[4]. Il y eut sans doute nombre de pièces édifiantes, moralisantes, quelques tièdes adaptations d'œuvres plus substantielles, et des grands jeux scéniques, bibliques, liturgiques, et parfois même... épileptiques. Mais le souffle était entretenu, en veilleuse, comme flamme vacillante de lampion dans une chapelle désertée.

Avant d'aborder la grande aventure des *Compagnons de Saint-Laurent,* qui constitue une des meilleures pages de la petite histoire de notre théâtre, soulignons le rôle souvent ingrat de troupes semi-professionnelles qui risquaient des tournées de collèges en couvents, avec des moyens de fortune : c'était là une forme courageuse d'apostolat, que *Le Théâtre universitaire canadien* a poursuivie avec qualité, sous la direction de quel-

[4] *op. cit.,* p. 17.

ques abbés préférant peut-être la scène à la chaire.

Notre théâtre québécois, durement anathémisé par le clergé, sera en partie réhabilité par d'autres éléments cléricaux, et l'action tremblotante des scènes collégiales mérite d'être soulignée. Deux noms attirent surtout l'attention : le P. Gustave Lamarche, dont les allégories chorales, à grands déploiements, n'ont pas toujours joui d'un équilibre sans reproches ; et le P. Emile Legault, qui a droit à la plus haute réputation d'homme de théâtre québécois, et qui a miraculeusement promu au rang professionnel une troupe de collège.

LES COMPAGNONS, LE T.N.M., LE RIDEAU-VERT...

De 1938 à 1950, le dynamisme enthousiaste d'Emile Legault a su éveiller toute une génération à la chose théâtrale ; l'œuvre de nos grands noms actuels a trouvé sa source, et puise peut-être encore de sa foi chez cet homme de théâtre authentique, attentif aux espoirs de sa grande équipe : Jean Gascon, Jean-Louis Roux, Paul Dupuis, Jean Coutu, Yves Létourneau, Félix Leclerc, Charlotte Boisjoly, etc.

Le critère du répertoire des ardents *Compagnons* se disait en un mot : qualité. Molière, Marivaux, Shakespeare, Ghéon, Claudel, Racine, Anouilh, Eliot, Lorca. Et la foi des planches était de rigueur. On redécouvre le mystère du jeu, on y participe à fond, intégralement, avec un sens de l'équipe et du travail bien fait que quelques défaillances et accidents n'effacent point. On y savait que le théâtre est d'abord divertissement et art, puis ensuite édification ou correction. Et l'on respectait la hiérarchie naturelle des valeurs esthétiques.

En 1951, *Les Compagnons de Saint-Laurent* ont donné naissance, par scissiparité, au Théâtre du

Nouveau-Monde, animé par Jean Gascon et Jean-Louis Roux, et qui a réussi à imposer à l'attention européenne et internationale un travail d'une qualité exceptionnelle, surtout dans Molière.

Après le théâtre des années 1920-1945 (Variétés, National, M.R.T., Stella, etc.), d'autres troupes naissent sur d'autres scènes : le Rideau-Vert en 1948, le Théâtre-Club en 1954, l'Egrégore en 1959 ; et depuis 1956 à Percé, à Sainte-Adèle, à Repentigny, à Eastman, à Joliette, à Dorion, une série de théâtres d'été aux fortunes fort variables. Malgré toutes les difficultés prévues (épuisements et fours) et imprévues (effondrements et incendies), deux troupes-ateliers se dévouèrent au théâtre international d'avant-garde, les Apprentis-Sorciers (1956) et les Saltimbanques (1963).

Nous sommes loin du milieu du dix-neuvième siècle, où les rôles féminins étaient tenus par des hommes, où les sièges se louaient dix sous, et où la soirée se terminait par un bal populaire, une fois les bancs empilés le long du mur ! Un siècle s'est écoulé.

TROUPES EN VISITE

Disons ici un mot des troupes qui visitaient nos scènes, pas toujours avec le même succès parce qu'elles n'étaient pas toujours de la même valeur. Sarah Bernhardt demeure la grande vedette de la fin du siècle dernier, et elle concluait, après plusieurs visites faites entre 1880 et 1905, que le Canada n'était pas encore mûr pour le théâtre. On pourrait justement imputer à cette grande actrice une part de la responsabilité de notre pâleur théâtrale ; sa technique consistait souvent à s'entourer de comédiens médiocres, pour briller davantage ou pour réduire les frais. La conduite de ce genre d'exploiteurs de colonies retardées n'a rien d'admirable.

Quelques troupes françaises visitaient donc nos

rives, de temps à autre, et ne manquaient pas d'aller cueillir les dollars dans le pays de l'or voisin. D'ailleurs, pendant le même temps, des troupes anglaises, américaines et anglo-canadiennes, se livraient à des activités semblables. En marge d'expériences improvisées, quelques héros de théâtre, professionnels ou amateurs, s'installaient au pays et s'employaient à solidifier des initiatives autrement sans lendemain.

C'était la grande époque des tours de force : des scènes étroites, un public imprévisible, une pièce nouvelle chaque semaine, répétitions en matinée pour la pièce de la semaine suivante, cachets soufflés à l'hélium, voltiges d'une scène à l'autre, menaces et coups à la sortie des artistes pour ceux qui tenaient avec trop de naturel les rôles de gros méchants, adulations gênantes pour les étoiles d'un soir, sommes considérables englouties parallèlement à des efforts malchanceux, animateurs et metteurs en scène de fortune, comédiens amateurs voisinant les plus authentiques ou les plus cabotins des artistes de la scène, décors et costumes interchangeables...

Après plusieurs dizaines d'années d'un tel régime, on comprend bien certaines faiblesses de croissance, et la ruée vers la radio, puis vers la télévision.

RADIO ET TÉLÉVISION

Ces deux techniques arrivent à des moments critiques, augmentent l'auditoire et attirent un nouveau public vers les salles. Et enfin, les gens de théâtre pouvaient, moyennant certains compromis, s'assurer d'un revenu à peu près régulier et décent, parfois même abondant. L'acteur doit aussi gagner sa vie, et des pirouettes et tirades ne servent pas d'écot dans les salles à manger. L'expérience a démontré qu'on ne peut en même temps laver la vaisselle dans les cuisines et répéter sur les planches.

A côté de la radio, et en prolongeant son œuvre, la télévision a depuis 1952 sauvé le théâtre du Québec en lui donnant une dimension étonnamment efficace et populaire, et en préparant un public neuf et prometteur. Deux genres distincts existent dans le théâtre télévisé : les grandes pièces, adaptées ou originales, parmi lesquelles nous pouvons retenir entre autres *L'Echange* de Claudel, *Un simple soldat* de Dubé, le *Feu sur la terre* de Mauriac, des œuvres de Tchekov, Lorca, et des réalisations éblouissantes comme celle de *Carmina Burana* en 1968 ; et d'autre part, les continuités hebdomadaires, de qualité variable, dont *La famille Plouffe*, *Cap-aux-Sorciers*, *Le Survenant*, *Les belles histoires des pays d'en haut*, *Rue de Galais*, etc.

A-t-on trop confondu l'art dramatique et l'anecdote amusante ou le remplissage scénique ? La télévision est une invitation à la facilité, parce que le public est absent et la critique à postériori. La télévision a offert à des millions de téléspectateurs les jeux admirables d'une Dyne Mousseau, d'un Gilles Pelletier, d'un Jean Duceppe, d'une Monique Miller, d'un Henri Norbert.

La télévision a été l'occasion propice à la renaissance de notre théâtre, à la fois de la part des acteurs, des dramaturges et du public. Le trop grand appétit des gros cachets a étranglé les ambitions. Des exigences de distributions capricieuses empêchent la stabilité souhaitée par certaines équipes plus sérieuses. On oublie la patience d'un métier solide, devant la séduction d'une gloire instantanée, qui se consume d'elle-même. Des personnages de théâtre, et parfois non des moindres, consentent à devenir annonceurs de savons, de saucisses ou de cigarettes : le métier d'annonceur n'a rien d'avilissant en soi, mais il rompt la magie, nécessaire à l'incarnation des existences exemplaires par les grands comédiens, et fait de l'acteur qui le pratique un personnage associé aux routines de la réclame tapageuse, où la magie et la poésie se trouvent mal à l'aise.

GRATIEN GÉLINAS

Ce n'est que depuis 1938 que nous pouvons parler d'un théâtre qui nous soit particulier, s'appuyant sur nos dramaturges, nos comédiens, nos organisateurs et notre public. Il faut indiquer la lente évolution de notre théâtre, qui sera plus particulièrement intéressante après 1950, et accorder à Gratien Gélinas la place de pionnier qui lui revient.

Dès 1938, et pendant dix ans, avec une reprise en 1956, *Fridolin* fit courir, rire et songer les foules les plus diverses. Ces spectacles, en plus de recourir à des collaborations enthousiastes et habiles, dont celle de Fred Barry, avaient la particularité de mettre en vedette un auteur-acteur-metteur en scène-directeur de troupe : coïncidence tout à fait exceptionnelle ! Elles avaient aussi cette autre particularité, trop rare jusque-là, de plaire au public, énormément.

Fridolin, c'est un type : un gamin d'environ quinze ans qui possède la maturité hâtive et un peu amère des ruelles, presque sans grivoiseries ni grossièretés : chandail tricolore national troué aux coudes, pantalon court avec une fronde dans la poche arrière, des bas tombant chacun à sa façon sur des souliers fatigués, casquette d'étoffe coquettement campée sur une mèche indépendante, larges bretelles nerveusement torturées au cours de monologues fantaisistes où le sarcasme acide et l'émotion ingénue s'affichent dans une éloquence spontanée et imprévisible.

Les vifs croquis de Fridolin sont toujours empreints d'une tendresse rebutée et douloureuse, celle d'un gavroche qui « s'effoyre la poire sur le dur mur social », d'un gavroche qui adore sa mère en esprit et en actes, qui s'enflamme pour un rien, pour une page d'histoire du Canada par exemple. Fridolin habite la rue, et parle au public du fond de sa « cour » ; il bat la mesure de la vie et l'éclaire à sa façon, avec ses propres chandelles. C'est un don Quichotte frondeur qui ridiculise les poseurs, raille les « grosses légumes », attaque à tour de bras, mord à gauche, coupe au vif à droite, n'épargne rien ni personne ni soi-même, comme seul un authentique mauvais garçon peut le faire. Avec lui, le *castigat ridendo mores* n'est plus un échantillon de la sagesse romaine, ni un mot de passe qui sonne frais dans un salon : c'est sa carte d'identité même.

Cette satire cocasse et fine ne saurait passer pour une méchanceté fielleuse, malgré ses flèches acérées ; il y a toujours une grâce dans ces attaques, une complicité gentille et irrésistible dans cette vie sans prétention qu'on ne peut bouder longtemps. Miracle peut-être, ou du moins acrobatie exceptionnelle qui traduit, en plus d'un génie d'invention et de présence, une virtuosité d'interprétation et d'esprit d'à-propos.

Le 22 mai 1948, au Monument National, on joue pour la première fois *Tit-Coq*. Un an plus tard, on jouera au Gésù sa deux centième représentation. C'était, disons, un succès ! Comme on avait fait en marge des *Fridolinades*, des sketches radiophoniques, des films, des traductions, on fera la même chose pour *Tit-Coq*, en y ajoutant une édition tôt épuisée en librairie.

La distribution originale présentait dans le rôle-titre un Gratien Gélinas en splendide forme, Albert Duquesne dans le Padre, Clément Latour dans Jean-Paul, Fred Barry dans le Père Désilets, Amanda Alarie dans la Mère Désilets, Juliette

Béliveau dans la Tante Clara, Muriel Guilbault dans Marie-Ange, et Juliette Huot dans Germaine. En somme, l'équipe familière au répertoire des *Fridolinades*, parmi les têtes d'affiches du moment.

Il ne serait pas sans intérêt de rappeler vivement la matière de cette première pièce d'envergure de notre théâtre autonome. *Tit-Coq*, jeune militaire en permission chez un ami, découvre la chaleur insoupçonnée d'une famille campagnarde dans le temps des Fêtes, et y trouve le coup de foudre sous les charmes de Marie-Ange ; sa situation délicate d'enfant naturel doit aussitôt être révélée, pense-t-il dans son honnêteté foncière :

« Né à la crèche, élevé à l'hospice, je suis un enfant de l'amour, un petit maudit bâtard. Y a pas un enfant de chienne qui va me jeter ça à la face sans recevoir mon poing à la même place... Les histoires de 'je vas le dire à ma mère', avec moi, ça ne mène pas loin... La crèche jusqu'à six ans, l'orphelinat jusqu'à quatorze ans et demi, ensuite les chambres à louer, les restaurants, les salles de billard, et le camp militaire... Des parents pris les uns dans les autres comme des morceaux de puzzle... Celui qui a la fiole bâtie comme une bouteille de parfum de cent piastres... »

Tit-Coq possède son parler à lui, direct, franc, vert, fleuri à rebours, qu'il ne faut pas trop vite taxer de grossier. Sa poésie est faite de gros mots sincères et d'émotions spontanées. Au deuxième acte, Tit-Coq est rendu outre-mer, et languit pendant deux ans loin de Marie-Ange, qui se marie bourgeoisement et sans grand enthousiasme. Le héros militaire était parti « avec une fille dans le cœur », mais, en se cassant bêtement un bras, il commence à douter du silence de sa promise : « Les filles à tant de l'heure, c'est encore ce qui se fait de plus sûr : au moins avec elles, tu sais à quoi t'en tenir... Vous êtes ben toutes pareilles, vous autres, les femmes : passer d'un homme à l'autre. »

Au troisième acte, c'est le désespoir plus que la surprise qui ponctue le retour de Tit-Coq, et si le Padre réussit à convaincre le gaillard de ne pas voler Marie-Ange à celui qui en a hérité, ce sera grâce à un argument en bas de la ceinture : cette situation ne ferait en effet que poursuivre une tradition honteuse et pitoyable de bâtards douloureux. Tit-Coq sent bien que cette argumentation ne le touche pas au fond : « Et l'amour, ça nous marie bien plus qu'un paquet de faire-part et un contrat en trois copies devant notaire. »

L'œuvre de Gélinas se situe sous le signe de l'anecdote, d'un réalisme parfois brutal, un peu choquant, mais indiscutablement poignant. Sans contrainte de théoricien ou d'esthète, sans grandes phrases, l'auteur-acteur allait son petit chemin. Des planches et des chaises pour décor, des personnages de la rue et un public sans prétention, un contact à établir en marge de quelques scènes qui font se rejoindre spontanément salle et scène aux mêmes gestes naturels, aux mêmes paroles vives.

Cette conception populaire du théâtre, traditionnelle plutôt que révolutionnaire, s'appuie sur un langage percutant, direct, nerveux, qui claque comme un coup de fouet, cinglant le spectateur trop raffiné, enlevant l'adhésion du public moyen. Ainsi, une langue verte et dynamique avait fait ses preuves bien avant Molière, et peut encore contribuer à bâtir des personnages communicatifs et chaleureux, qui atteignent souvent à la seule éloquence finalement valable, celle du cœur.

Tit-Coq a connu un triomphe de surprise, tout en étant une pièce honnête, solide, bien sentie, qui pourra, d'une génération à l'autre, retrouver un certain succès, à la condition qu'il y ait un comédien pour remplacer sans trop trembler le créateur du rôle-titre. Mais le coefficient poétique, à rebours si l'on veut, peu importe, des *Fridolinades,* ne se retrouve pas avec autant d'authenticité et de fraîcheur dans le mélodrame sympathique de *Tit-Coq,* qu'il ne faudrait identifier ni à une grande comédie, ni à une grande tragédie. Si la poésie fonde la valeur permanente d'un théâtre, on peut vérifier une fois de plus avec *Tit-Coq* qu'à cause d'éléments lyriques et épiques réduits à quelques « engueulades » (fort bien tournées d'ailleurs) et à quelques minces gestes d'histoire locale, une excellente pièce de boulevard peut, hélas, se passer d'âme poétique.

Avec *Bousille et les Justes,* Gratien Gélinas affermit son métier et prend du large, en s'appuyant sur un thème moins strictement régional et anecdotique, en dépassant l'amusement et la satire pour traiter un problème grave: celui de la justice absolue qui se cherche dans les mascarades des petites justices individuelles. Non pas que l'on s'ennuie à ce spectacle, loin de là ! Il y a une forte part de clowneries, de péripéties loufoques et inattendues, de cabrioles, de mots d'espèces dont Gélinas détient la recette.

Et Fridolin n'hésite pas à montrer le bout du nez, à quelques détours de scènes, surtout dans les actes 2 et 3 : « Les yeux grands comme la pleine lune » ; « Il s'était déposé le coin d'une fesse sur une chaise » ; « Aimé tombe dans les bras de sa mère, qui ouvre les écluses et lui arrose la cravate ! Tout le monde danse de joie dans la maison ! Le chien jappe ! Les petits poissons rouges sont fous ! » Et encore : « Il me faut un peu de liquide dans le chameau avant de traverser le désert. »

La bonne Mère-catholique-canadienne-française déclare, sur un ton sans réplique, au premier acte : « Je ne passerai pas la nuit à l'hôtel sans chapelet comme une guidoune ! » Mais au quatrième acte, elle dira au bon et simpliste Frère

Nolasque, qui voulait, pôvre innocent, prier pour que justice se fasse : « Prie pour qu'on gagne : c'est tout ce que je te demande ! » Et Phil ne nous rassure pas complètement en déclarant, dans des termes que Fridolin n'aurait pas désavoués : « Quand elle s'énerve, sa pression monte, la soupape colle et elle tombe dans les pommes. » Colette reprendra au deuxième acte une répartie que nous avons signalée déjà dans *Tit-Coq* : « Il y a des choses qui fiancent plus un garçon et une fille qu'une bague de quatre dollars, bien sûr ! » — Et Bousille, personnage sympathique et insolite, de la race des innocents et martyrs, ingénu comme seule une victime intègre peut l'être, pauvre fossile d'honnêteté en face de la caste homogène et monolithe des « Justes », prête à tout pour sauvegarder ses illusions menacées, ses prétentions ridicules. Les façades sociales écrasent bien des libertés individuelles, et ce n'est que par le mortier gluant d'obscurs complots que se tiennent debout des familles ou des castes souillées des crimes les plus vils, complots que l'on considère officiellement comme des actes politiques inévitables et donc lavés de toute culpabilité.

Bousille passe la rampe, énergiquement, et se lit avec plaisir. Rare équilibre, d'écriture et de scène, et gage d'une valeur plus grande, donc d'une audience plus permanente et mieux soutenue. En 1960, Gratien Gélinas signait un article intitulé *Jeune auteur, mon camarade* où il livrait un aperçu de sa dramaturgie. Tout en rendant un hommage ému au « grand saint patron Molière » et à sa conception dramatique : « Le théâtre, ce grand art qui est l'art de plaire », M. Gélinas nous communique le sel de vingt-cinq ans de métier et de création : sa position étonne à première lecture : « La réussite est la seule loi de notre profession. » On comprend que Fridolin, amer de la grossièreté dont on l'a souvent accusé illégitimement, s'en prend durement aux esthètes prétentieux qui ne peuvent attirer cinq cent personnes à leurs élucubrations d'avant-garde. M. Gélinas recourt aux témoignages de Chaplin, Jouvet, Claudel pour appuyer sa thèse : le témoignage vif de son œuvre aurait suffi, sans y ajouter Copeau ou Shakespeare. Nous apprécions surtout ces deux lignes : « Il est toujours préférable d'être entendu vite que pas du tout... Ecris pour l'homme de ton pays, de ta ville, de ta rue. »

PREMIÈRE GÉNÉRATION DE DRAMATURGES

Au Québec, depuis 1950, le théâtre tend à s'organiser d'une façon plus précise et plus réaliste, comme les autres formes d'expression artistique. Jean-Louis Roux étudie, en avril 1961, la technique d'une prospection systématique, dans de nouveaux publics comme ceux du monde étudiant, du monde ouvrier, des fonctionnaires, voulant établir une sorte de coopérative des scènes montréalaises : il serait en effet préférable, et plus efficace pour la cause générale du théâtre québécois, qu'on s'entende sur des questions de répertoire, de tarifs, de tournées, d'échanges, de publicité, pour éviter par exemple des périodes de saturation ou de creux, ou des efforts interférents. Tout en conservant au théâtre sa dimension primordiale de divertissement, il y aurait moyen d'entreprendre une éducation progressive d'un public de plus en plus réceptif et de plus en plus exigeant. Les comédiens de métier, les scènes et les dramaturges existent. Si le public n'y vient pas encore, comme on le souhaiterait, il doit y avoir des moyens de développer de meilleures formules.

Depuis 1950, une génération de dramaturges déploie, dans des sens variés et de façon de plus en plus convaincante, les productions de son cru, prêtant au Québec toute une distribution de masques et d'êtres possibles. A la suite de Gratien Gélinas, Marcel Dubé, Félix Leclerc, Paul Toupin ; puis Jacques Languirand, Jacques Ferron, Roger Huard, Anne Hébert, Pierre Perreault ; depuis 1966, Eugène Cloutier, Françoise Loranger, Michel Tremblay, d'autres encore.

Ce monde vertigineux, d'une extrême mobilité, qui participe souvent aux recherches les plus audacieuses du théâtre international actuel, profite de conditions techniques et artistiques avantageuses, de nouvelles salles, de publics actifs, et déborde largement les cadres de la présente étude, qui n'en fournit que la préhistoire et les soubassements, en ouvrant quelques fenêtres sur quelques pièces déjà « anciennes » !

Marcel Dubé a signé des œuvres populaires, comme *Zone* (1953), *Barrage* (1954), *Chambre à louer* (1955), *Un Simple Soldat* (1957), *Le Temps des Lilas* (1958), et *Florence* (1960). Ce dramaturge écrit avec autant de maîtrise pour la télévision et pour la scène, affichant une sourde révolte qui anime un ou plusieurs personnages, en contraste auprès de ceux qui sont résignés, vaincus, ployés sous des destins scellés. L'éclairage de Dubé est cru, sa psychologie, directe et franche ; son inspiration jaillit des rues de Montréal et l'on rencontre tous les jours les masques qu'il stylise. Dubé demeure lucide et concret, un œil.

Il ne s'embarrasse pas d'obscures idées, de contours prudents, de circonlocutions fouillées, de prétentions artistiques : mais chaque fois, il sait choisir des personnages qui ont quelque chose à dire sur des sujets très précis et qui nous touchent. Dubé ne se prend ni pour un intellectuel ni pour un poète : pourtant, dans chaque pièce, on trouve des idées criantes de vérité, et on trouve aussi des rêveurs, proches parents des poètes sans école. Dubé, quand il fait du théâtre, s'attache à faire directement du bon spectacle, sans autre préoccupation, et son attitude lui réussit bien.

Dans *Florence,* Antoinette, la mère résignée à la médiocrité, se méfie des questions pouvant troubler sa quiétude ; Eddy, séducteur un peu trop classique ; Madeleine, le mannequin facile ; Pierre, le jeune étudiant un peu honteux de sa famille trop « moyenne » ; Maurice, le fiancé décontenancé ; Suzanne, la petite secrétaire qui a décidé de faire sa vie à sa façon ; Gaston, le père qui a encore la lucidité d'inventorier froidement la faillite de sa vie trop rangée ; Florence, la jeune fille qui se révolte contre un milieu, une famille, une éducation, des habitudes qui lui paraissent fades dans leurs cadres rigides d'honnêteté frileuse. Chacun à son tour pousse son plaidoyer, sa tirade enflammée : leur éloquence demeure pâle, comme l'éloquence de ceux qui n'en ont pas, de ceux qui n'ont pas la parole facile, de ceux qui se taisent dans leur coin. Et cette *Florence* est douloureuse, triste, grave, elle souffre d'une espèce de fatalité à rebours, celle du passé accumulé et non plus celle d'un futur angoissant. Florence aura couru sa chance, et elle en sortira blessée, meurtrie, humiliée, déçue : pourtant, elle poursuit, car « J'ai envie de faire mes propres expériences. » Le refus de la routine entraîne au refus du conformisme, qui est une autre forme du conformisme...

Les Insolites (1956), *Le Roi ivre* (1957), *Hamlet* (1957), *Les Grands départs* (1958), *Les Violons de l'automne* (1960), *Le Gibet* (1960) font de J. Languirand un dramaturge original, qui possède beaucoup de souplesse, de moyens, de facilité : trop peut-être. Moins laborieux que Dubé, il est aussi moins structuré ; plus poignant au premier contact, il passera peut-être plus vite. Ces deux dramaturges affichaient déjà, à trente ans, une œuvre vivante qui tenait bien la scène : c'est donc dire que « les grands départs » sont déjà exécutés, et les plus grands espoirs sont à portée de leurs mains.

André Langevin ne s'est pas contenté de nous donner trois bons romans. *L'Oeil du peuple* se range parmi les meilleures pièces d'avant 1960. Langevin se fait pamphlétaire, dans cette satire amusante qui possède à la fois le débit rapide et haletant d'une intrigue bien tournée, et la vivacité des réparties qui ne trompent pas. La scène s'ouvre au Bureau du grand Chef du Parti d'épuration des vices de la luxure et de l'ivrognerie : il serait trop long, et d'ailleurs fort difficile, de tenter l'esquisse de personnages tellement vivants qu'ils sont insaisissables et souvent même contradictoires. Les savoureuses situations, les piquantes répliques, les chassés-croisés acrobatiques, le pathos le plus fantaisiste et la plaisanterie la plus dramatique contribuent à faire de cet *Oeil du peuple* une pièce unique dans notre théâtre, aussi intéressante en spectacle qu'en lecture.

Jean Simard, après quatre romans qui ne laissent pas indifférents, aborde le théâtre avec *L'Ange interdit.* Dans cette pièce étonnante, en trois tableaux, un narrateur insolent exécute d'une façon nonchalante les transitions et les détours du drame. Claire, toute jeune fille, s'adresse ainsi au beau Jérôme : « Ah ! ce n'est pas juste ! Vous arrivez, comme ça, avec vos cheveux gris, vos yeux tristes, et vous faites chavirer le cœur des filles ! » Mais voilà que le père de Claire, Monsieur Portelance, intervient dans cette liaison de sa fille, à peine majeure, avec un séducteur, marié par surcroît, et le deuxième tableau pousse au délire les échanges de sagesse proverbiale, qui continuent dans le dernier tableau de nous masquer, avec les interventions du narrateur, la cruauté et la gravité du drame. Cette œuvre est attachante et fort originale.

ENFIN DONC UN THÉÂTRE QUÉBÉCOIS !

Ce bref panorama de la gestation de notre théâtre québécois semble indiquer l'existence désormais active et dynamique d'une scène québécoise autonome. Durham nous accusait en 1839 d'être « incapables de maintenir une scène nationale » : un peu moins de cent ans plus tard, en 1932, Montréal comptait soixante cinémas avec 60,000 sièges, et trois théâtres réguliers avec 2,700 sièges. Malgré nombre d'obstacles et d'improvisations, à travers les fluctuations les moins prévisibles et les hasards les plus contradictoires, notre théâtre poursuivait son obscur mûrissement. Sacha Guitry, en 1927, nous disait : « Ne cherchez donc pas trop à le perdre, cet accent, puisqu'il est le témoignage émouvant pour nous de votre provenance française... Je voudrais voir se créer chez vous une littérature canadienne, un théâtre canadien. » Fallait-il un étranger aussi perspicace pour nous indiquer notre voie, sans surcharge ni artifice, sans vains gémissements sur un pauvre passé, ni ridicules illusions en des mirages vaporeux ? Fallait-il attendre 30 ou 40 ans, avant d'en arriver enfin à une expression authentique et fort variée de l'âme québécoise, à travers la magie et les troublantes métamorphoses du théâtre dont la volatilité de la scène trouve à la fois sa correction et son prolongement dans les quelques 40 ou 50 pièces publiées, de *Tit-Coq* aux *Belles-Sœurs* ?

JEAN-CHARLES HARVEY ET SES « DEMI-CIVILISÉS »

Jean-Charles Harvey[1] prend figure dans notre littérature québécoise de personnalité à la fois versatile et nettement engagée. Journaliste de carrière, Harvey possède une plume alerte et précise, le sens de l'impact qui en font un rédacteur habile et nuancé, un éditorialiste dynamique et réaliste. Critique incisif et pamphlétaire mordant, digne héritier spirituel de Arthur Buies, Harvey sait être un témoin curieux de tout, mais en observateur implacable, en analyste caustique, ce qui lui a mérité sa réputation de « tête forte ». Deux volumes contiennent les principaux articles de Harvey, journaliste et critique : *Pages de critique* qui a connu en 1926 un bon succès de librairie et qu'on a utilisé dans plusieurs maisons d'enseignement ; et *Art et combat* où l'auteur déclarait sa ferme

(1) Cette étude a été écrite en 1962.

résolution de « suivre la ligne droite de sa conscience et l'impulsion de son cœur » (Préface, p. 9, 1935).

Une partie de l'œuvre de Harvey s'attaque vigoureusement à l'idéologie marxiste, et deux tracts, *Les Armes du mensonge* en 1945, et *U.R.S.S., paradis des dupes* en 1948, préparent le roman de 1953, *Les Paradis de sable*, et nombre d'éditoriaux et de conférences. En 1958, *La fille du silence* réunit quelques dizaines de poèmes choisis parmi plus de deux cents publiés auparavant dans *Le Jour*, auxquels viennent s'ajouter dix nouvelles pièces poétiques d'une meilleure qualité, où les préoccupations idéologiques sont moins sensibles. Mais l'histoire littéraire retiendra surtout de l'œuvre copieuse de Harvey ses romans.

UNE VIE DE JOURNALISTE ENGAGÉ

Jean-Charles Harvey est né à la Malbaie en 1891, et a fait ses études classiques au Séminaire de Chicoutimi, où la nourriture, le logement et l'enseignement étaient médiocres : il y avait une baignoire par 250 élèves, et comme par hasard un bon professeur de littérature en belles-lettres. Après l'année de rhétorique, Jean-Charles Harvey à 16 ans entre chez les Pères Jésuites, où il reprend ses humanités et fait trois années de philosophie. Il conserve un excellent souvenir de ce séjour de six ans dans une communauté qui offrait à ses futurs membres une équipe de professeurs de premier ordre et la facilité de poursuivre une recherche intellectuelle personnelle.

N'ayant pas la vocation religieuse, le jeune Harvey quitte l'ordre des Jésuites à 22 ans et s'inscrit pour quelques mois à la faculté de droit de l'Université de Montréal, alors annexe de l'Université Laval. En février 1915, il commence sans trop s'en douter la carrière de sa vie en entrant au service des nouvelles de *La Patrie*, quotidien de Montréal. Quelques mois plus tard, le jeune journaliste passe à *La Presse*, où il travaillera jusqu'en septembre 1918. Il accepte alors l'offre de collaborer au service d'information d'une grande organisation que l'on met sur pied à Montmagny, avec beaucoup d'enthousiasme et un peu trop d'idéalisme. Il s'agit d'une vaste fonderie où l'on produit surtout des machines agricoles, sur une grande échelle. Par manque d'organisation rationnelle basée sur une analyse réaliste des possibilités du marché, et par manque de chefs à la poigne solide, l'expérience échoue en 1921, entraînant, entre autres catastrophes économiques, la faillite d'une banque.

En 1922, Jean-Charles Harvey est rédacteur du quotidien *Le Soleil*, à Québec, et il le sera jusqu'à l'affaire des *Demi-civilisés*, en 1934, après quoi il occupera un poste au service des Statistiques du Parlement, à Québec, le Cardinal Villeneuve s'opposant à ce qu'il obtienne le poste de Conservateur de la Bibliothèque du Parlement, qui lui convenait pourtant mieux. De 1937 à 1946, Harvey dirige le journal *Le Jour* avec fermeté et dynamisme, s'intéressant aux idées politiques, aux questions de la réforme de l'éducation, de l'instruction gratuite et obligatoire, du lien fédératif nécessaire pour le Québec, du bilinguisme. De 1946 à 1953, Harvey s'occupe surtout de radio-commentaires et de conférences à travers le pays, abordant le problème de la dualité ethnique et culturelle du Canada ; à partir de 1953, J.-C. Harvey remplit la fonction de directeur des publications aux hebdomadaires montréalais à grand tirage *Le Petit Journal* et *Photo-Journal*[2].

(2) Jean-Charles Harvey meurt le 2 janvier 1967 à l'âge de 76 ans.

UNE SÉRIE DE ROMANS

Les romans de Jean-Charles Harvey souffrent tous d'une tendance plus ou moins marquée à la thèse, et l'auteur s'en rend compte bien avant 1926, puisqu'il écrivit dans ses *Pages de critique* à propos de *L'appel de la race* : « A maints passages, on a l'illusion de lire une série de discours ou une anthologie de sermons. Le roman y perd son caractère, bien qu'il soit toujours vivant et d'un intérêt soutenu. Ce style trop oratoire n'est pas particulier à Alonié de Lestres. Nos études nous y prédisposent tous, et ce n'est qu'au moyen d'efforts surhumains que nous rattrappons un peu de la simplicité perdue. » (p. 86).

Dans *Marcel Faure*[3], l'auteur refait pour son compte personnel et notre plus haute édification la théorie de la cité idéale, nettement réformatrice comme il se trouve souvent chez un jeune auteur à ses premières armes. Le ton y est celui du bril-

[3] Bibliographie générale de Harvey:
Marcel Faure (roman), Imprimerie de Montmagny, 1922.
Pages de critique (essai), Le Soleil, Québec, 1926.
L'homme qui va (contes), Le Soleil, Québec, 1929.
Les demi-civilisés (roman), Ed. Totem, Montréal, 1934.
Sébastien Pierre (roman), Ed. du Quotidien, Lévis, 1935.
Jeunesse (essai), Les Cahiers noirs, Québec, 1935.
Art et combat (essai), Ed. A.C.F., Montréal, 1937.
Les grenouilles qui demandent un roi (contes), Ed. Le Jour, Montréal, 1943.
Les armes du mensonge (tract), Montréal, 1945.
URSS, paradis des dupes (tract), Montréal, 1948.
Les paradis de sable (roman), Institut littéraire, Québec, 1953.
La fille du silence (poèmes), Orphée, Montréal, 1958.
Pourquoi je suis antiséparatiste, Ed. de l'Homme, 1962.
Visages du Québec, Cercle du Livre de France, 1964.
Des bois, des champs, des bêtes (récits), Ed. du Jour, 1965.

lant rhétoricien qui ne perd pas toutefois contact avec des réalités cuisantes : « Monsieur l'abbé, vous n'avez pas le droit de nous mettre à l'index pour la seule raison que nous ne pensons pas comme vous. Je ne subirai pas cette stérilisation de séminaire » (pp. 25-26). Avant même que le livre ne soit lancé, un certain chanoine Huot, qui avait ouï-dire de quelques audaces de pensée et de mise en scène de la part de l'auteur, en vient à cette conclusion que *Marcel Faure* ne peut être qu'un mauvais livre et, dévoré d'un esprit d'apostolat, offre à Harvey un dédommagement financier contre pure et simple incinération de tout le tirage. Mgr Camille Roy, mis au courant de ce marchandage, lit le manuscrit et communique à l'auteur son impression : ce roman témoigne d'un sensualisme dont on doit user avec réserves et précautions, mais il mérite d'être publié. Ce qui est fait, un monseigneur l'emportant naturellement sur un chanoine.

Dans *L'homme qui va* (1929), Harvey nous expose, par le truchement de contes symboliques bien tournés dans l'ensemble, cette idée paradoxale et dramatique que les progrès systématiques d'une civilisation industrielle et mécanique n'empêchent jamais ni l'homme de mourir ni l'humanité de perdre sur un front ce qu'elle gagne sur un autre. Le thème de l'amour libre y revient à quelques reprises, parfois dans des éclairages romantiques peu convaincants d'une éloquence adolescente. Ce livre, écrit en deux mois seulement, possède un souffle épique et une netteté de style remarquables. Il s'en dégage un parfum humaniste bien enraciné, et le grand leitmotiv de Harvey y trouve un écho solide : « L'humanité s'était sensiblement unifiée par la suppression graduelle dans les consciences des préjugés et de certaines traditions » (p. 50). L'annonce du Prix David réussit à faire sortir *L'homme qui va* de l'enfer, à la

Librairie Garneau de Québec, où il était dissimulé sur pressions officieuses de gens qui ne prisaient pas la « tête forte » du jeune Harvey.

C'est dans cette perspective de méfiance et de sourde opposition qu'il faut aborder le scandale des *Demi-civilisés* (1934), roman de mœurs décrivant un milieu restreint et où chaque personnage tient beaucoup plus de la généralisation d'un groupe social que de la caricature d'un personnage précis. On a voulu charger ce livre franc et vert de tous les crimes d'Israël, et on l'a généreusement accusé de pornographie, d'obscénité, d'immoralisme, d'anti-cléricalisme, de paganisme, d'athéisme, etc. On savait fort bien que la soûlerie de Carnaval et le « wild-party » où « on se laisse aller à tous les excès du manger, du boire et même de l'amour » (p. 120) existaient dans la prude cité de Québec en 1934, mais on n'aimait pas en trouver un reportage percutant dans un roman. Avant d'aborder le scandale des *Demi-civilisés*, examinons rapidement les autres romans de Harvey.

Dans *Sébastien Pierre* (1935), l'auteur veut prouver qu'il est bien décidé de continuer à publier, envers et contre tous. Nous assistons, un peu abasourdis, à la métamorphose mystérieuse d'un jeune collégien pieux et honnête en rude bandit, digne émule des grands gangsters américains. Et tout ça, par la faute d'une éducation religieuse trop rigide et strangulante, qui peut occasionner de tragiques révoltes, facilement compréhensibles. On doit se souvenir que nous sommes à un an seulement de l'affaire des *Demi-civilisés* : l'auteur subit une crise morale et intellectuelle aiguë, et l'on devine Harvey sous les traits froids du héros. Il se trouve dans ce livre un morceau de bravoure littéraire, une pièce d'anthologie, en quelques pages fortes et denses, un peu naïvement symboliques, quoiqu'indiscutablement émouvantes, qui racontent le brutal déchiquetage à vif d'un grand orignal par une meute de loups.

Dans *Les grenouilles demandent un roi* (1943) l'auteur s'en prend au système communiste, avec force et ardeur : la charge accusatrice, un peu naïve, emprunte souvent les défroques d'une malhabile affabulation, alors qu'il aurait été préférable de viser à l'essai critique. Le roman se défend, malgré tout, et la gaucherie de la charge pamphlétaire est largement couverte par la grandeur épique des deux derniers chapitres, sorte de testament et de synthèse de la pensée et de l'art de Harvey : « La bonté, le bonheur et même la vérité sont, en définitive, des réalisations individuelles. Que dire alors de l'amour, sans quoi la vie ne vaut pas la peine d'être vécue ? » (p. 188). Harvey a bien en tête depuis sa jeunesse quelques idées auxquelles il tient d'une façon persistante, et nous trouvons dans un billet une nouvelle satire, savoureuse et bien en verve, du communisme : à soixante-dix ans, l'auteur écrit avec brio : « On se souvient de l'exhibition barnumesque que nous offraient, l'an dernier aux Nations Unies, Nikita Krouchtchev, le barbu de Cuba et compagnie. Ce fut le cirque le plus lamentable qui se fût jamais donné au sein d'une organisation créée pour la paix et la concorde... » (*Le Petit Journal*, 24 septembre 1964). En marge de cette passion et de ce respect pour la liberté de l'individu, qui constitue le fondement même de l'œuvre de Harvey, il me confiait : « Je résiste à quiconque veut m'imposer le bonheur, cette chose que l'on fait soi-même et que l'on porte en soi. On ne peut instaurer des régimes de tyrannie qui détiennent la recette de tous et de chacun. Chaque individu est un monde et seul l'individu libre peut sauver le monde. Jamais il ne se serait fait de grandes choses, s'il avait fallu compter sur les seules collectivités : sans l'individu libre, le monde retournerait tôt à la barbarie ».[4]

LE SCANDALE DES DEMI-CIVILISÉS

Le roman des *Demi-civilisés* a été écrit en 1933-34, et l'auteur voulait en faire le tableau d'une société peu satisfaisante, où la superficialité et la suffisance d'une petite bourgeoisie gentille mais frivole se prêtaient au développement d'une affabulation instructive quoique gênante, sans toutefois aller jusqu'à la caricature blessante. L'auteur voulait mettre en scène l'esprit de libération, qui permet à l'individu de sortir de sa solitude close pour dialoguer, qui permet à une classe moyenne prétentieuse de reviser l'échelle de ses valeurs. Harvey définissait en 1961 ses *demi-civilisés* comme suit : « une race de transition dont la pire plaie est la confusion des valeurs, puisque cette race hésite encore entre l'héritage de sa souche paysanne et sa tendance urbaine : elle renie ce que la civilisation paysanne possédait de valable en soi, à cause de sa rusticité, et elle n'a pas encore assimilé ce qui fait l'équilibre de la civilisation urbaine. Entre-temps, des générations doivent se payer de mots et se défendre comme elles peuvent avec seulement un vernis de culture et les lances tronquées de valeurs aussi improvisées que ridicules.»

Le notaire Albert Pelletier publiait à ses Editions du Totem, à Montréal, *Les Demi-civilisés* au milieu d'avril 1934 : les 3,000 exemplaires du roman furent lancés à Montréal et à Québec, avec une bonne publicité. Le 26 avril 1934, le Cardinal Villeneuve condamnait officiellement le livre, en interdisait la vente, la possession et la lecture dans

(4) J'ai eu à rencontrer souvent Jean-Charles Harvey, qui a bien voulu accepter ma collaboration au *Petit Journal* pendant trois ans, en 1961-64.

son diocèse de Québec. Dans le diocèse de Montréal, par contre, on le tolérait, de sorte que les gens de Québec venaient le lire dans la métropole pour ne pas commettre de « péché mortel ». Le 27 avril 1934, Harvey publie dans *Le Soleil* un article étrange, commençant par ces mots tendancieux : « Je consens à retirer du marché... ». On a vite, et un peu tôt, crié à la rétractation officielle. De fait, l'Honorable Taschereau, premier ministre de la Province, avait imaginé, en bon politicien et de concert avec Harvey, cette mise en scène habile mais inefficace, puisque le livre appartenait de fait à l'éditeur, ce qui rendait la rétractation théâtrale de l'auteur inutile et sans portée pratique. Le tirage s'épuisa bientôt, des zélés brûlèrent quelques centaines d'exemplaires en guise d'autodafé, et Harvey remit sa démission au journal *Le Soleil,* avec un arrangement de six mois de vacances payées et la promesse d'une situation au Parlement.

Harvey avait prévu cette réaction draconienne de la part de certaines autorités, mais son goût du risque lui faisait assumer avec plaisir, on peut même dire avec esprit sportif, la responsabilité de ses actes affranchis. On peut rappeler à l'auteur deux extraits de son roman : « Il est dans la vie des actes, des paroles, des pensées même, que rien ne répare » (p. 210) et « Voici le diable en personne ! » (p. 166). Après avoir fait quelques commentaires, Jean-Charles Harvey me confiat : « On sent parfois que certaines choses sont nécessaires : c'est ce qui m'est arrivé pour *Les demi-civilisés* ; il fallait dire cela, et je l'ai dit. » Voici qui explique bien la réaction d'un historien étranger devant un incident littéraire qui a pris, à cause de circonstances particulières, l'allure d'un scandale dans notre frileuse Province : « Un malaise grandit, plusieurs romans dépeignent une jeunesse inquiète ; Jean-Charles Harvey, dans *L'homme qui va* et dans *Les demi-civilisés* lève l'étendard de la révolte immoraliste : dans un monde qui se transforme, le Canada éprouve confusément la nécessité de s'ajuster, mais redoute d'y perdre son âme. » (*Histoire des littératures,* Bibliothèque de la Pléiade, Tome III, p. 1388).

INTERPRÉTATION DU DOUBLE THÈME : LA CRITIQUE SOCIALE

On peut examiner dans *Les demi-civilisés* le développement parallèle d'un double thème, qui revient d'ailleurs tout au long de l'œuvre de l'auteur : la critique sociale d'abord, parfois naïve mais généralement juste; et la moralité sexuelle, parfois anodine mais généralement convaincue. C'est dans cette double perspective que nous pouvons comprendre le sens du titre : les *demi-civilisés* vivent dans un monde à demi organisé, à demi évolué, à demi structuré, à demi religieux et à demi païen, à demi cultivé et à demi barbare. Il en résulte une confusion des valeurs que nous soulignions plus haut.

La critique sociale de Harvey s'en prend surtout aux conditions intolérables faites à la personne voulant user de sa liberté : défense de l'individu, et de l'individu affranchi et idéalisé qui est pour Harvey le type même de l'artiste. C'est au nom de la liberté morale et intellectuelle de l'individu que Harvey s'en prend au conformisme social rigide et arbitraire, qui étouffe l'expression instinctive naturelle de l'homme dans un « pays de l'impersonnel et de l'artifice où seule la pensée officielle a droit de cité » (*D.C.*, p. 81).

La position de l'auteur est franche et simple : volonté bien arrêtée de contribuer à la libération de l'écrivain, de l'artiste québécois, peu importent la lourdeur des risques et la menace des représailles. Le dynamisme libérateur s'exprime ici dans les deux zones de l'expression de soi, et de la communication avec l'autre. Harvey, en attentif analyste, avait déjà noté dans un contexte plus large de la politique internationale : « Dès qu'on se sentait de force à lutter, on décidait qu'il n'y avait plus moyen de s'entendre, et on s'en remettait à la justice du canon » (*L'homme qui va*, p. 181). Harvey, qui avait bien lucidement poursuivi le combat avec *Les demi-civilisés*, y écrivait amèrement : « L'âge vous mettra du plomb dans l'aile et dans la tête. Quand vous saurez qu'on ne gagne pas d'argent à écrire et à gueuler, vous reviendrez à la vieille méthode, qui consiste à rentrer dans le rang, à profiter sagement des occasions. » (p. 78).

Une remarque de l'auteur invite à aborder le problème de son anticléricalisme : « Celui qui ruine pieusement les veuves pour s'enrichir, tout en apaisant la colère divine par de petits cadeaux, vous l'appelez un honnête homme » (p. 51). Au fait, Harvey a sursauté quand je lui ai demandé de préciser le sens de son anticléricalisme, et m'a répondu, amusé : « C'est beaucoup plus le cléricalisme qui m'a persécuté, que moi qui ai persécuté le cléricalisme. » Car Harvey n'a jamais attaqué le clergé, ni aucun ecclésiastique : il a toujours formulé ses reproches et ses protestations pondérément, dans le but loyal et généreusement motivé de signaler des abus, des oublis, des détournements de la part d'une classe sociale, les prêtres et les religieux qui ne remplissaient pas toujours d'une façon désintéressée leurs fonctions. Une telle attitude, indiscutablement saine pour ceux qui n'ont pas peur de la vérité, ne relève ni d'une haine ni même d'une solide aversion : il se trouvait que des membres du clergé étaient compromis dans des situations concrètes convenant peu à leur idéal, ce qui provoquait de salutaires et nécessaires remarques.

Dans l'article passionné intitulé *Pas une pierre où reposer sa tête,* l'auteur attaquait par le détour de Hermann Lillois, « la triple alliance du capital, du pouvoir civil et des choses saintes » (p. 165). N'avait-il pas raison ? Et n'est-il pas étonnant de voir un clergé, pratiquant sur une haute échelle l'intervention et le dirigisme, s'offusquer de la moindre remarque s'appuyant sur une réalité évidente ? Ce clergé était-il à ce point habitué à des générations rampantes et agenouillées, qu'il devait s'acharner à réduire au silence un journaliste préférant se tenir debout et parler sec ? Harvey n'avait-il pas raison d'écrire : « Le privilège de l'enseignement ne peut sans danger pour l'esprit, le cœur, le jugement et la science, appartenir exclusivement à une caste qui se veut hors du siècle » (p. 166) ? Harvey n'avait-il pas le droit d'écrire : « Vous êtes content, vous ? Content de vous-même, content de tous et de tout ? » (p. 176).

Dans *Les paradis de sable,* près de vingt ans plus tard, Harvey reviendra sur le sujet : « Les bonnes consciences ne sont pas celles qu'on gave de prescriptions, mais de lumière » (p. 194). — « A notre époque de pygmées, le surhomme qui manque au monde c'est un prophète qui voudra bien, lui aussi, se faire crucifier au lieu de crucifier les autres » (p. 189). — « Foi à droite, foi à gauche. Pour les uns, l'eau miraculeuse des grands sanctuaires, pour les autres, la sorcellerie des thaumaturges sociaux. Pourquoi pas la simple foi en l'Esprit ? » (p. 230). Ainsi, Harvey n'attaque pas par principe la religion chrétienne ou le système communiste, mais il souligne seulement à l'occasion des abus ou méfaits de l'une ou de l'autre.

INTERPRÉTATION DU DOUBLE THÈME : LA MORALITÉ SEXUELLE

On a reproché à Harvey d'avoir propagé une théorie de l'amour libre, alors qu'il a seulement voulu défendre l'expression sexuelle, naturelle et instinctive, qui refuse d'être crispée et complexée. Il faut reconnaître l'importance de l'expression sexuelle dans l'équilibre de la personne humaine, et Harvey pensait que la chasteté contrainte entraînait souvent une rigueur farouche de comportement qui rendait impossible la vie normale. « Tout le monde chrétien a poussé trop loin la phobie sexuelle », me confiait-il.

La thèse érotique de l'auteur s'attaque d'abord à une situation pitoyable de médiocrité : « Les fortes passions sont au-dessus de votre tempérament. Et vous agissez avec une telle hypocrisie qu'on vous croirait incapables de jouir de rien sans masques » (*D.C.*, p. 129). Une fois refusée l'attitude janséniste, l'auteur s'exprime positivement en revendiquant « cette liberté que nous avons d'être l'un à l'autre sans contraintes, sans contrat » (p. 91).

La moralité érotique peut s'entendre aussi dans le sens d'une intégration sensualiste, telle qu'exprimée dans *Les paradis de sable* : « Une avidité sans bornes peut saisir toute la vie du monde et se l'assimiler, une faim et une soif d'infini, des satisfactions sans nombre suivies d'une insatisfaction immense... » (p. 195). Le ton est presque mystique, et le lyrisme témoigne d'une exigence humaniste généreuse, d'un accueil au monde large et sain. Dans un poème intitulé *Prière de Don Juan*, l'auteur présise sa position :

Merci mon Dieu des mille voluptés
cueillies sur mon chemin les nuits d'été
merci des yeux tout éblouis d'étoiles
et de l'aimée qui se montra sans voiles...

merci des belles filles et du désir...
merci du don que vous nous avez fait
de satisfaire et d'être satisfait
de noyer dans les humaines tendresses
tous les regrets et toutes les détresses !
(*La Fille du Silence*, pp. 80-81)

Et Jean-Charles Harvey, âgé de soixante-dix ans, remanie le même thème en évoquant les mêmes hommes des cavernes : « Il se peut que pour ces ancêtres peu raffinés les plaisirs de la chasse aient été plus vifs que ceux de l'amour. L'époque n'était pas aux don Juans, qui passent leur vie à traquer la femme » (*Le Petit Journal*, 17 septembre 1961). — Allusion à don Juan, ce demi-civilisé qui traite l'amour en simple jeu de société. Un autre poème de *La Fille du Silence*, aux accents baudelairiens, revient en mémoire :

...à notre corps un autre corps plein de luxure...
Qui refusa ces dons n'a vraiment pas vécu ;
plus tard, trop tard, quand viendra pour lui
l'impuissance,
il gémira d'avoir raté toutes ses chances
et courbera le dos tel un vieillard vaincu (p. 47)

Harvey a scruté le problème de l'expression sexuelle avec pénétration et honnêteté, et sa moralité sexuelle peut être comprise comme la volonté de débarrasser l'amour de tout l'attirail janséniste d'une tradition malsaine. L'audace de langage de l'auteur se défend d'elle-même, puisque « on ne scandalise que les faibles » (*D.C.*, p. 206). Dans un texte d'un vif intérêt intitulé *Jeunesse* (1935), Harvey notait que « la vierge antique se fait une espèce de plus en plus rare » (p. 38), et dans *Art et Combat*, cette pensée se précisait comme suit : « Il est psychologiquement impossible qu'une génération entière soit complètement mauvaise ; il est également impossible que toute une jeunesse soit vertueuse, pour l'unique raison qu'elle est jeune » (p. 120). Dans *Sébastien*

Pierre, où l'auteur faisait allusion à « l'automatisme de l'instinct » (p. 222), il écrivait aussi : « S'il n'y avait pas de Dieu, ce serait la destruction de tout. Et le soleil continuait à dorer les houles et à brunir la peau des belles filles qui passaient sur les plages » (p. 174).

Le sensualisme de Harvey n'est toutefois pas sans « inquiéter l'égoïsme inconscient qui sommeille au fond de tout amour charnel » (*Les paradis de sable*, p. 210) et ne doit pas être confondu avec un délétère mystico-sensualisme gidien, ni avec la jouissance bestiale et béate de vulgaires romans-feuilletons. Il s'apparente plutôt à la pensée tonique de David Herbert Lawrence, que Harvey ne connaissait pas encore, et un peu aussi au Camus de *Noces* et de *L'étranger*.

SIGNIFICATION ACTUELLE DE L'ŒUVRE DE HARVEY : SA VALEUR LITTÉRAIRE

Harvey a déclaré à la télévision, il y a quelques années, que les « *Demi-civilisés* était l'œuvre la plus audacieuse de toute notre littérature » ; de fait, ce livre possède une puissance et une originalité dont l'impact est indiscutable. Quelques gaucheries de forme, comme des plaidoyers empreints parfois d'une rhétorique collégiale assez rudimentaire, ou comme des dissertations mal intégrées à une affabulation normale, ne réussissent pas à briser l'intérêt de l'intrigue et des thèmes. La langue, à peu près toujours correcte et souvent élégante, se déploie en un style varié, souple, nerveux, qui révèle un écrivain de goût raffiné, de talent nuancé, de large compréhension : « Je levai mon regard vers le feuillage et il me sembla que cette masse de verdure buvait la lumière comme une éponge, et qu'il eût suffi de le presser des deux mains pour en faire pleuvoir sur mes épaules des gouttes de soleil » (p. 56).

On a reproché aux *Demi-civilisés* d'être un roman à thèse. Le roman à thèse tient à la fois de la fiction et de l'essai et comme tel constitue un genre faux et comporte un étrange paradoxe ; il verse en effet dans le défaut même qu'il s'emploie à fustiger et à détruire puisque, pour combattre une forme d'intolérance et de conformisme, il doit à son tour développer un radicalisme et proposer une convention. Telle est la faiblesse de beaucoup de romans québécois, depuis le sinistre *Pour la patrie* de Tardivel ; mais Harvey, tout en n'évitant pas entièrement les écueils sournois de cette tentation bien pensante, n'y a jamais entièrement succombé, et *Les Demi-civilisés*, tout en revendiquant la liberté d'expression sociale et amoureuse, demeure avant tout un roman où les idées abondent sans doute, mais sans paralyser les mouvements des personnages et sans rendre l'intrigue indigeste.

Le héros de l'œuvre se présente en ces termes : « Je me nomme Max Hubert... Nature faite de légèreté et de réflexion, de cynisme et de naïveté, de logique et de contradiction » (p. 7). Max (Harvey) possède une puissante intelligence, une sensibilité bien éveillée, une conscience critique qui lui permet d'analyser la société dans laquelle il vit à tous les niveaux et dans toutes les zones, sans parti pris ni favoritisme. Hermann Lillois nous apparaît comme un grand viveur parisien cultivé en exil chez nous, « trop civilisé, mais combien séduisant » (p. 114). Dorothée Meunier, fille capricieuse d'un financier en vue, hésite entre la tendance qu'elle a vers une conduite affranchie et désinvolte, et la crainte d'une révélation d'un trouble secret de famille un peu mélodramatique : son père aurait tué autrefois son associé devant un gênant témoin, le maître-chanteur Bouvier, qui s'est mis d'une façon invraisemblable dans la tête d'épouser la jolie Dorothée ; c'est par ce détour boiteux que Max et Dorothée doivent se séparer et l'auteur ne nous épargne pas le coup du couvent. C'est là la plus grave faiblesse du roman.

Les autres personnages conservent une liberté de comportement intéressante. Le sympathique vieux Maxime, qui ne va pas à la messe et sert de premier maître à penser au jeune Max. La belle et troublante Marthe, fugitive apparition. Lucien Joly, partisan du doute universel : « il était tout culture et tout raison » (p. 115).

SIGNIFICATION ACTUELLE DE L'ŒUVRE : LE PROBLÈME DE LA LIBERTÉ

Ce qui fait la valeur des *Demi-civilisés* et d'une façon générale de toute l'œuvre de Harvey, c'est qu'on y traite le problème de la manifestation de la liberté individuelle dans une société conventionnelle. La liberté pour Harvey est beaucoup plus conscience lucide et dynamique que révolte ou anarchie ; l'individu, ayant droit à l'expression de sa liberté aussi bien dans son opinion que dans sa conduite, ne peut tolérer, dans un monde statique de contraintes et de pressions, qu'on lui refuse le droit au risque personnel. L'attitude de Harvey se nuance toutefois, et il revendique sa liberté individuelle de non-conformiste sans essayer de l'imposer à qui que ce soit ; en somme, il accepte le point de vue des conformistes en ce qui les concerne, eux, étant donné qu'ils sont libres de refuser leur liberté, de refuser tout risque, mais il réclame pour lui (et ses semblables) le droit et l'usage de la liberté d'opinion et de conduite : « toute coercition, même contre mes ennemis, serait contre ma nature » (*D.C.*, p. 63).

« J'appartiens à la minorité, celle des évolués, celle qui s'est évadée du protectorat et qui, ayant violenté son atavisme et franchi l'étape, mesure mieux l'abîme qui sépare la contrainte de la liberté » (*Les grenouilles qui demandent un roi*, p. 16). Le jeune Max reçoit dès le début des *Demi-civilisés* sa première injection de conformisme : « Tu partiras bientôt pour le collège, et on t'y montrera le sentier de l'ordre, du devoir, des bonnes actions » (p. 23) ; mais il réagit plutôt mal : « On ne saurait mieux s'y prendre pour tuer la valeur individuelle au nom d'on ne sait quelle médiocrité collective qu'on encourage pour le seul profit d'une caste, sous le faux-semblant de l'ordre, de la tradition, de l'autorité » (pp. 117-8). Dans *Les paradis de sable,* nous retrouvons un bel écho de cette attitude courageuse : « Les grandes étapes de l'humanité ont été franchies grâce à des individus qui, ignorant l'esprit de corps et refusant de consacrer leur vie à répéter les pensées des autres, sont allés puiser au fond d'eux-mêmes les éléments de raison, de conscience et de libération dont les peuples avaient besoin pour briser les carcans de la tradition, de la crédulité et de l'habitude » (p. 187).

Refus du conformisme et du laisser-aller qui devient un refus de la médiocrité, du moule, et trouve une nouvelle noblesse morale : « Fais ceci parce que c'est honorable, parce que c'est beau ! Evite cela parce que ça t'abaisse, parce que tu vaux mieux que ça. Si tu n'agis que par crainte du bâton, tu n'es qu'un lâche et tu ne feras jamais rien de bon » (*Marcel Faure,* p. 62). — « Je m'efforçais de montrer que la liberté morale est le pivot de la civilisation, la condition première du perfectionnement de la personnalité, partant, du progrès indéfini de l'individu et, par lui, de la société » (*D.C.*, p. 54). Harvey pourtant ne joue pas les utopistes : « Il faut se résigner au fait que l'on ne réalise que de pâles copies de soi-même... » — « L'imperfection est la condition du progrès humain » (*Les paradis de sable,* pp. 196 et 204). Malgré tout, l'auteur ne perd pas confiance, en affirmant fortement « qu'on n'est vraiment vaincu que le jour où l'on croit l'être » (*D.C.*, p. 191).

Devant la tentation du marchandage, Harvey explique : « Le bonheur ne consiste pas à ne manquer de rien, mais à faire ce que l'on veut » (*Les grenouilles...*, p. 11). Une prise de position nettement spiritualiste et humaniste s'oppose à une position matérialiste et béate. Quand Harvey parle de la liberté, il trouve souvent cet accent lyrique qui l'anime quand il parle de l'amour : « Quels prix n'attache-t-on pas aux bonheurs que l'on a soustraits aux antiques servitudes et qui, une fois libérés de l'abîme, s'épanouissent dans la personnalité reconquise, tels les nénuphars blancs qui parviennent à flotter, grands ouverts sur la soie des eaux, après avoir percé leur profond tombeau de boue... Vous comprenez maintenant pourquoi le triomphe des bâtisseurs de fourmilières sera éphémère. Les fourmilières sont des paradis de sable, et, comme tels, des paradis croulants » (*Les paradis de sable*, pp. 180-1 et 205).

L'actualité des *Demi-civilisés* trouve dans sa réédition en février 1962, aux Editions de l'Homme, une preuve indiscutable, et son érotisme affranchi n'est pas sans influer sur la pompeuse déclaration de la revue montréalaise *Liberté* au numéro 14, mars-avril 1961 : « Nous sommes pour... la liberté, l'amour, l'amitié, le respect des consciences, l'utilisation raffinée du sexe ». *Les Demi-civilisés* se plaçait dans l'héritage de l'œuvre de Arthur Buies, dans le sillage de l'affaire Guibord, et préparait Borduas et le Frère Untel. Quand Harvey glorifiait « la force de mépriser les conventions et les préjugés qui étouffent la personnalité de millions d'hommes » (*D.C.*, p. 90), il préparait quinze ans à l'avance les déclarations de Borduas : « Des centaines d'hommes revendiqueront leurs droits au travail-passion et vomiront leur travail-corvée insignifiant et stérile ; des centaines d'hommes referont une société où il sera possible de circuler sans honte et de penser tout haut et net... Ensemble nous entreprendrons cette extravagance de vivre sous la dictée d'une conscience aiguisée, dans la franche honnêteté, et nous verrons bien ! Le pire ne saurait être qu'une catastrophe et ça vaudrait encore mieux qu'une fausse réussite » (*Projections libérantes*, 1949).

Dans le contexte généralement contraint et suspicieux de notre jardin littéraire québécois, où les épines sont toujours accusées d'être vénéneuses et où les flaques de boue se doivent d'être putrides, la fonction exutoire de l'écrit n'est pas comprise en toute tranquillité. Un auteur qui décrit un viol doit l'avoir pratiqué, et celui qui explore l'âme criminelle doit en posséder une. De telles attitudes simplistes empêchent l'écrivain d'ouvrir les volets, de sauter la fenêtre, de toucher l'épine du rosier pour en sentir la piqûre, de prendre la boue dans sa main, cette boue qui n'est souvent que pure eau de pluie mélangée à une bonne terre noire. La littérature peut jouer le rôle d'une soupape de sûreté envers des griefs, des protestations, des frustrations qui, faute de possibilités de libre expression, s'accumulent et deviennent malsaines.

Il manque à notre littérature une zone nettement diffamatoire et pamphlétaire. Nous souffrons de l'absence d'une violente exégèse de nos pensées communes. Nous n'avons hélas pas connu les rafales grimaçantes d'une *Grande peur des bien-pensants*, ni les secousses inquiétantes des *Grands cimetières sous la lune*, ni les virulentes attaques d'une *Lettre aux Anglais*, que Harvey cite justement dans *Les grenouilles demandent un roi* (p. 37) : notre Bernanos, notre Bloy, est un jeune frère enseignant qu'on a vite envoyé poursuivre ses études à Rome, pour l'aider à digérer et nuancer ses futures et probablement moins caustiques *Insolences*. Jean-Charles Harvey a saisi la balle au bond et a repris immédiatement son thème favori : « Mais voici qu'il se crée, parmi les jeunes, des remous inquiétants pour nos fabriques de conserves dites intellectuelles... La plupart des jeunes gens qui ont respiré ailleurs l'oxygène de la vraie culture et de la liberté ne veulent plus rentrer au Canada ou bien, s'ils y reviennent, ne songent qu'à s'en aller » (*Le Petit Journal*, novembre 1960).

Dans l'incroyable confusion des problèmes qui hypothèquent souvent trop lourdement la pensée du Québécois moyen, nous pouvons relever ces lignes du tonique *Saint-Pépin, P.Q.* de Bertrand Vac : « Si on commence à élire des gens qui se mêlent de ne pas faire de religion, ça va tourner comme en Russie. Les gens qui ont des idées ont presque toujours des idées croches » (p. 29). Et rappelons cette parole du Frère Untel : « Personne n'ose penser au Canada français. Du moins personne n'ose penser tout haut ». Parce que penser, cela coûte ; cela coûte d'abord un effort intellectuel, lequel exige le moteur d'une curiosité qui n'a jamais connu d'énergiques stimulants chez nos éducateurs ; et cela coûte ensuite un engagement, donc un risque, donc une possibilité d'être seul dans le droit ou le mauvais chemin, donc une menace de blâme ou de représailles. « Assi-toé, toé, pi té-toé » a été trop longtemps le principe nivellateur de notre tactique pédagogique. Il y a une orthodoxie du silence, normalement monastique, et il y a une orthodoxie du risque, normalement laïque. Et ceux qui vivent dans le monde tout en refusant leur liberté d'opinion et de conduite constituent une fausse élite d'hypocrites intellectuels de parade, de pantins à la tartufe, de marionnettes de grand guignol, que Harvey qualifiait à raison de demi-civilisés. Leur race ne s'éteindra peut-être jamais.

Dans *Jeunesse*, paru en 1935, Harvey faisait

plusieurs remarques pertinentes sur l'éternel paradoxe de la jeunesse, à la fois hésitante et audacieuse, enthousiaste et maladroite, prometteuse et décevante, et il insistait sur la nécessité fondamentale d'être avant de paraître, en se posant lucidement la question suivante : « Nos jeunes gens sortent-ils de leurs études suffisamment armés pour faire face à la vie ? » (p. 53). Harvey s'est proposé, dès son temps de collège, de batailler pour défendre la liberté d'opinion et d'expression de l'intellectuel, de l'écrivain, de l'artiste au Québec, et toute son œuvre s'inscrit précisément dans cet ordre d'idée. Au fond, l'érotisme de l'auteur et la critique sociale qu'il a entreprise se confondent dans la grande cause de la liberté(5), de la liberté de la jeunesse, qui lui permettait de m'écrire à 70 ans : « hommage d'un vieil auteur qui n'a jamais renoncé à sa jeunesse ».

Rappelons ce poème aux résonnances lancinantes qui lui a servi de formule de vie, mêlant intimement l'amour à la liberté :

Un soir, elle partit pour ne plus revenir
mais toujours je vais là retrouver mon désir
qui perce ma poitrine ainsi qu'un fer de lance
et crève le silence.

(*La fille du silence*, p. 17)

(5) La pensée d'Harvey trouve un champ fertile dans la génération CEGEP, qui ne manque pas d'y découvrir une certaine ferveur prophétique.

II

RACINES DE LA POÉSIE ACTUELLE

NELLIGAN : UN DÉSIR DEMEURÉ DÉSIR[1]

On peut se méfier de la psychologie en littérature, mais il n'en reste pas moins inévitable qu'une part très importante du phénomène littéraire ne saurait refuser l'aide de la psychologie ; il est d'une grande utilité d'éclairer l'œuvre par l'auteur, d'étudier les aspects plus profonds et plus intimes de l'œuvre en analysant les détails de la vie et du comportement de l'auteur. Ainsi, le dossier psychologique d'un écrivain et son dossier littéraire s'éclairent mutuellement et permettent d'étayer des intuitions, d'appuyer des indications, de vérifier des hypothèses. D'autre part, n'est-ce pas encore faire de la psychologie que d'étudier les personnages, les caractères, les états d'âme, les passions, les sentiments ?

Sans exagérer l'éclairage psychanalytique, nous

[1] Cette étude a d'abord été publiée dans *Le Devoir*, 4 avril 1964, et retouchée en 1968.

pouvons étudier l'œuvre de Nelligan et en dégager quelques thèmes privilégiés, comme la dialectique du temps et de l'espace permet de le faire, en suivant les parcours du retour à l'enfance, du monde clos idéalisé, de la hantise de la mort et du « désir demeuré désir » (René Char).

RETOUR À L'ENFANCE

La deuxième partie des poésies[2] de Nelligan s'intitule *Le Jardin de l'enfance*, et le poète avait d'abord pensé à l'intituler *Villa d'enfance* : mais comment accuser de régression vers l'enfance un garçon de moins de vingt ans ? C'est pour lui un royaume encore tout prochain et chaleureux que ce jardin magique, que cette villa imaginaire, que ce giron maternel. Nelligan est né le 24 décembre 1879 ; ses premiers écrits sont du printemps 1896, alors qu'il échouait sans souci sa classe de syntaxe au Collège Sainte-Marie, à Montréal ; il avait alors seize ans et six mois, et il faut remarquer son indifférence en regard des activités scolaires, courante jusqu'à un certain point chez des adolescents peu doués et frivoles, mais étrange chez un élève très doué et sérieux, et qui était nettement plus âgé que ses camarades de classe.

Nelligan avait déjà décidé d'être poète. Sa mère, une femme sensible, musicienne raffinée, un peu trop affectueuse peut-être, encourage son fils dans ses projets artistiques que le père ne voit pas du bon œil ; nous voyons se dessiner le conflit père-mère, qui entraîne le conflit enfant-parents ; le conflit entre le monde intérieur et le monde extérieur, qui établira le conflit entre le rêve et la réalité.

Le premier poème, *Rêve fantasque* (tout Nelligan se trouve déjà dans ce titre et dans ce poème

[2] Les indications entre parenthèses renvoient à l'édition des *Poésies complètes*, établie et annotée par Luc Lacourcière, Fides, 1952.

de « songes alanguissants » où « nous pèse le temps » au jardin onirique), est publié dans *Le Samedi* du 13 juin 1896, sous le pseudonyme d'Emile Kovar ; relevons le processus de dissimulation du pseudonyme, d'autant plus significatif qu'il sera employé neuf fois, jusqu'au dix-neuf septembre, pour masquer l'identité de l'auteur, dans la même publication. *Le Monde illustré* refusera de publier des textes signés E. Kovar le 25 juillet 1896 et le 8 mai 1897, exigeant « un nom responsable », détail cruel dans la perspective du prochain internement. M. Luc Lacourcière décrit bien ces incidents : « Durant quelques mois, il se dissimule ou se protège contre les quolibets éventuels de ses professeurs et camarades derrière l'étrange pseudonyme » (p. 9). Nous retenons le processus par lequel Nelligan cherche à « se protéger contre » les attaques des « autres », professeurs et camarades, et sans doute aussi parents et relations : son père manifestera peu d'enthousiasme pour la vocation littéraire de son fils, et l'encouragera à travailler comme matelot sur un navire qui va en Angleterre (été 1898), puis comme commis-comptable chez un marchand montréalais (automne 1898) : mais le jeune Nelligan n'a ni la vocation marine ni la vocation comptable : le grand dépaysement des voyages ne lui convient pas plus que l'espace fermé d'un bureau sombre; l'aventure qui l'attire est d'un autre ordre, intérieure et mystérieuse.

Autre dissimulation, mineure mais indicative : Nelligan, pour franciser la graphie et la phonie de son nom irlandais, écrira Nellighan ou Nélighan, et prononcera à la française, refusant ainsi la réalité de son ascendance irlandaise.

L'œuvre de Nelligan ne se situe pas au niveau de l'exploitation du souvenir : le retour aux jardins enchantés de l'enfance heureuse emprunte un chemin qui ne recoupe qu'accidentellement celui de la mémoire : c'est un monde autre que Nelligan, foncièrement visionnaire, anime dans l'alchimie généreuse et tourmentée de son imagination. Si la fonction de la poésie est de métamorphoser, de transformer, Nelligan est un poète d'une exceptionnelle grandeur. Et le monde fermé qui nous semble d'abord être le sien déborde largement des frontières uniformément tristes des existences encloses : il est nécessaire de souligner immédiatement l'ambivalence de l'âme nelliganienne, dont la cyclothymie serait à établir. Son univers n'est pas uniquement nostalgique, et souvent la joie explose ou le jeu s'amorce, au début de pages qui se terminent bien souvent dans un climat moins léger et ludique.

Se trouve-t-il dans le processus du retour à l'enfance une latence androgyne ? Nelligan se distingue de Rimbaud en ceci que Rimbaud avait développé un dégoût et une phobie en face de la femme, à cause d'une mère marâtre et d'un père trop faible, ce qui l'avait fourvoyé dans l'homosexualité ; Nelligan, au contraire, connaît la force de caractère de son père et profite de cet exemple pour revendiquer précocement son indépendance. Le conflit père-fils sera d'abord un conflit normal, celui de l'affrontement de deux libertés, de deux volontés, de deux agressivités ; l'anomalie se développera dans le sens d'une « mise à l'étranger » du père, et d'une fixation ambivalente à la mère.

Dans *Le Voyageur*, seul poème de Nelligan dédié à son père, nous assistons au drame de leurs relations : le père est un voyageur qui a quitté le milieu affectif de l'enfance, qui a trahi la magie de la fidélité, et qui revient raconter comme un vieillard ses voyages et son passé (en 1897, David Nelligan avait quarante-huit ans, et peut-être pas autant de « cheveux blancs » qu'Emile le dit) ; les deux derniers vers du sonnet révèlent un désir dissimulé mais précis de faire disparaître le père, une latence parricide évidente dans l'emploi d'expressions détournées :

Fantôme, il disparut dans la nuit, emporté
Par le souffle mortel des brises hivernales !

(p. 218). David Nelligan ne mourra qu'en 1924.

Les relations entre le fils et la mère sont beaucoup moins précises. Née en 1856, Emilie-Amanda entretiendra autour d'elle un climat de mélancolie musicale et de piété affectueuse, que viendra exagérer le sentiment presque hostile d'Emile envers son père ; son père, Irlandais, voyageur, était pour le fils un intrus, un absent, un étranger, et un rival envers sa mère, d'où la « disparition » parricide précédente. Les relations enfant-parents constituent la trame première du développement des notions concrètes du temps et de l'espace, établissent le premier système de relations entre le monde intérieur encore confus et le monde extérieur de tensions. Il est ainsi nécessaire d'indiquer l'attitude de Nelligan en regard de ses parents. Les indices d'affection d'Emile envers sa mère sont nombreux, mais aussi fort déroutants. Il voue à sa mère un véritable culte, la confondant avec les anges (p. 48), lui offrant sa liturgie enveloppante et idéalisante : *A l'autel de ses pieds je l'honore en pleurant* (p. 52). Mais il faut bien voir qu'ici encore, comme pour le père, Emile recourt à un détour pour éloigner sa mère, pour s'évader de sa sphère envoûtante : de la tendre piété filiale à la liturgie idéalisante, puis du vieillissement précoce à la mort par anticipation, Emile se défait de sa mère, qui n'aura que quarante-trois ans quand il écrira : *Les rides ont creusé le beau marbre frontal* (p. 53), et qui ne mourra qu'en 1913, ce qui ne l'empêche pas d'écrire en 1899 déjà : *Ah ! sois tranquille en les ténèbres de ton cercueil* (p. 54). A plusieurs reprises, la mère du poète pleure dans ses poèmes, et la scène finale du *Premier remords* (titre suggestif) nous rappelle l'inconstance scolaire d'Emile, qui provoquait probablement des disputes paternelles, et qui peinait sa mère : il en développe un complexe de culpabilité, et se disculpe dans un mensonge volontaire et sacrilège, dans le contexte de la liturgie maternelle, ce qui engendre un véritable remords : *Depuis, je fus toujours le premier à l'école* en effet est faux. Sa mère serait devenue un témoin gênant et intolérable, qu'il faut écarter, dont il faut s'évader.

Le cycle de Françoise, celui des *Amours d'élite*, ne constitue qu'une évasion stérile, celle d'une « sœur d'amitié ». Nelligan demeure en bonne part un être asexué, dont le drame s'amorce dans l'adolescence, phase ambivalente par excellence. Une vérification négative de ceci se trouve dans l'absence à peu près complète de traits sadomasochistes chez lui : Nelligan se situe dans une zone non sexualisée, non différenciée sexuellement, qui constitue le privilège de l'enfance pure et limpide, état premier global dont il ressentira obsessionnellement la hantise. Dans *Le Vaisseau d'or*, poème indirectement érotique et ambigu, l'auteur nous révèle sa concupiscence refoulée devant les « chairs nues » de la « Cyprine d'amour », et nous dévoile cet « Océan trompeur où chantait la Sirène », ce monde de la femme-femme, de ces « funestes amours » dont le protègera sa mère, au-delà de la mort, dans *Le talisman* (p. 54) :

Ce talisman sacré de ma jeunesse en deuil
Préservera ton fils des bras de la Luxure.

Ce manque de détermination dans le facteur sexuel, si profondément important pour la vie adulte responsable, nous laisse deviner que le monde de Nelligan sera clos, fermé, stérile, par rapport à la conduite sociale courante ; mais ce même monde sera étonnamment accueillant, ouvert et prégnant dans la conduite individuelle imaginaire : le rêve fera de ce monde clos un monde idéalisé, séduisant et animé, embelli encore par les étendues de neige, par l'hiver d'une « Norvège » frigide.

UN MONDE CLOS IDÉALISÉ

L'étude des thèmes du temps et de l'espace possède un avantage d'ordre méthodologique : elle révèle, à la fois au niveau des faits du langage et au niveau des implications les plus profondes, l'attitude de situation relative de l'écrivain par rapport à deux pôles constants et inévitablement significatifs ; en effet, le seul fait d'écrire constitue déjà un engagement existentiel précis, dans lequel l'homme prend position par rapport à lui-même et par rapport aux autres : il se tient debout dans le présent, il se replie dans le passé, ou il se projette dans l'avenir ; il assume l'horizon de son lieu, il régresse vers les espaces antérieurs, où il enjambe impatiemment la margelle des ailleurs oniriques.

Le monde clos de Nelligan trouve sa motivation dans son milieu social et dans son milieu familial : l'art et la poésie n'étaient pas les préoccupations premières et fondamentales à Montréal, à la toute fin du dix-neuvième siècle, et la mère du poète était une des rares personnes ouvertes aux valeurs artistiques. C'est ainsi que Nelligan développe son mécanisme d'évasion, qui se trouve d'abord être un mécanisme de défense contre un milieu intolérable, entretenant chez lui un sentiment d'insécurité profonde, de malaise permanent. L'irrégularité scolaire du garçon témoigne d'une inadaptation foncière au milieu et aux conditions de vie, et se poursuivra, d'une autre façon, dans l'Ecole littéraire de Montréal : admis le 10 février 1897, Emile Nelligan ne figure plus sur les comptes rendus du 18 mars au 9 décembre 1898, à cause de trop fréquentes absences ; après la critique blessante et injuste du journaliste français De Marchy, Nelligan ressentira une frustration vive, et développera, en marge de son complexe d'incompréhension, un complexe de persécution. Le soir du 26 mai 1899, Nelligan connaît la « pleine gloire » (Dantin), son premier et son dernier triomphe : le 9 août, il est interné.

Le monde clos, c'est le monde fermé, *aliéné*, celui de la dernière évasion, plus efficace encore que celle de la mort, où le *Je est un autre* rimbaldien prend toute sa vertigineuse dimension. Il faut bien remarquer cette détresse tragique de la lucidité chez Nelligan :

Oh ! fais un peu que je comprenne
Cette âme aux sons noirs qui m'entraîne
Et m'a rendu malade et fou ! (p. 92)

Nelligan n'évitera pas de prononcer lui-même, et à plusieurs reprises, l'implacable diagnostic :

Que j'aime entendre alors...
Le rythme somnolent où ma NÉVROSE odore
Son spasme funéraire et cherche à s'oublier ! (p. 95)

...mes troupeaux de NÉVROSES... (p. 59)

...Ce clavecin de mes NÉVROSES... (p. 96)

Et mon amour meurtri, comme une chair qui saigne,
Repose sa blessure et calme ses NÉVROSES (p. 119)

Lorsque nous nous sentons NÉVROSÉS et vieillis (p. 56)

Il ne s'agit plus dans cette dernière citation de figures de style ou de vains ornements littéraires, mais c'est un garçon de dix-huit ou dix-neuf ans qui nous crie sa détresse consciente.

Les fréquentations littéraires de Nelligan ont en grande part contribué à développer chez lui une propension naturelle à la névrose, à l'aliénation dans un monde clos, celui d'un imaginaire détraqué. Nelligan n'a que seize ans quand il aborde passionnément aux rivages tumultueux de la grande poésie noire, avec une préparation scolaire nettement insuffisante. Ce sera aussitôt le grand chaos des hallucinations fantastiques de Rollinat et de Rimbaud, des visions morbides de Poe, des sensualités envoûtantes de Baudelaire et de Verlaine, des nostalgies oniriques de Nerval ; la sombre mélancolie de Rodenbach deviendra la sienne ; d'autres influences sans doute se trouvent sur sa route, mais sans le distraire sérieusement du climat malsain qui se tisse implacablement autour de lui. L'explication profonde du monde clos de Nelligan se trouverait-elle dans cette phobie de l'avenir qu'il éprouvait sous la menace tragique d'une folie imminente dont il avait nettement conscience, et qu'entretenaient ses amitiés littéraires ?

« Le réel n'est pour lui qu'une lueur d'apparence »[3], et le processus d'idéalisation devient chez Nelligan une autre voie d'évitement d'une réalité inconvenante et insupportable, *impossible*, contre laquelle il se défend en érigeant sa propre réalité, fictive, imaginaire, mais plus belle et cohérente pour lui, et profondément efficace puisqu'elle lui fait oublier l'*autre* réalité : mais cet oubli, justement, n'en est pas un, il n'est qu'un refoulement pathologique. L'esprit du poète trouve dans ses évasions oniriques et imaginaires la solution aux tensions contradictoires de l'ici-maintenant : la névrose est le premier moment d'un cheminement psychotique en marge d'une réalité décevante, frustrante, et refusée comme telle.

Le monde intérieur l'emporte en densité et en tumulte sur le monde extérieur à tel point que l'existence de Nelligan n'est plus « une douloureuse tentative de fuir hors de soi », comme le prétend M. Wyczynski[4], mais bien au contraire un repliement radical sur soi, contre le monde ex-

(3) *Emile Nelligan,* par M. Paul Wyczynski, p. 123.
(4) *Op. cit.,* p. 163.

térieur. L'intériorisation excessive de Mallarmé se retrouve ici chez Nelligan dans une poétique du néant, parallèle à la réalité quotidienne, mais beaucoup plus envoûtante; et cette perte profonde du contact organique avec la réalité extérieure constitue la structure de base de la schizophrénie.

Le cosmos naturel de Nelligan, c'est le jardin de l'enfance, la villa ou la chambre, les ruines, l'hiver neigeux d'une Norvège canadienne, ou encore l'espace liturgique des chapelles et des anges, avec des reliques, des cimetières et des cercueils. L'importance que Nelligan accorde à la musique, dans l'espace maternel, témoigne aussi de cette évasion dans un milieu agréable, triste mais enchanteur, confus et chaleureux comme l'enfance idéalisée, où les hallucinations audio-visuelles ne sont pas écartées. Sentiment bien romantique, la fuite implacable du temps dépasse chez Nelligan le contexte sentimental et décoratif, et déclenche le repli sur soi et le mécanisme de régression vers l'enfance heureuse et idéalisée. Comment ne pas évoquer ici en passant le complexe de Narcisse ? Mais le Narcisse chez Nelligan ne saurait se réduire au jeu stérile de la contemplation du miroir : comme pour Rimbaud, l'œuvre de Nelligan est cette part fragile et précieuse arrachée au silence mortel d'une végétation envahissante, celle des progrès conscients de la folie.

Pourtant, nous refusions de réduire l'œuvre de Nelligan aux « épages d'un tragique naufrage »[5]; la personnalité seconde que notre poète a développée, dans l'évolution de sa maladie hallucinatoire, nous a laissé des poèmes d'une technique attentive et d'une grande sensibilité artisanale, aux rythmes sonores et variés, d'une remarquable musicalité. Le langage du visionnaire, enrichi d'une obscurité fréquente chez les plus grands, se

[5] *Op. cit.*, p. 160.

déploie dans une symbolique particulièrement grave et organique, dans une dimension fulgurante dont le fantastique nous éblouit. Le problème des imitations, des sources, des influences perd de son intérêt devant l'immédiate efficacité des sténogrammes nelliganiens, devant leur nerveuse résonnance, devant leur irrésistible passion. Les derniers retranchements de la fuite de Nelligan s'arrêtent, au seuil de la rupture ultime, celle du suicide :

Le suicide aiguise ses coupoirs ! (p. 126)
Me noyer et voir se dérouler mes ennuis assassins...
Je me pends ce soir aux portes du salon (p. 171-2)

HANTISE DE LA MORT

Le temps chez Nelligan correspond à un moment psychologique d'où la durée est presque entièrement absente : le poète se replie sur lui-même et retrouve dans ses états d'âme actuels le bien-être précaire qu'il recherche fébrilement et dont pourtant il sait ne pouvoir se satisfaire : ce dualisme implacable explique à la fois le dynamisme de transfert de Nelligan, qui trouve sa source dans le retour vers un passé idéalisé, celui d'une enfance exemplaire, et son échec final.

La mort, chez Nelligan, est plutôt envisagée dans le sens d'une régression vers la non-existence qui précède la vie : ce n'est pas la hantise de l'au-delà de la mort qui le préoccupe, c'est le désir de l'en-deçà de la vie. La page la plus révélatrice à ce sujet, *Devant mon berceau*, nous indique abondamment cette ambivalence mort-vie, deuil-naissance, cercueil-berceau, et se termine sur cette image idéalisante par excellence :

Ma mère souriante avec l'essaim des anges ! (p. 48)

Un sentiment de nécrophilie se trouve chez

Nelligan, et surtout dans cet aveu : *J'ai grandi dans le goût bizarre du tombeau* (p. 129), autre aveu du poète écoutant en lui « des voix funèbres » (p. 174) qui ressemblent étrangement à des muses. On a poutant l'impression parfois de trouver des pages de joyeuses compagnies et de belles musiques : plusieurs poèmes s'ouvrent sur d'éclatants printemps, sur de généreuses fanfares, ou déroulent leurs rythmes folkloriques d'une façon convaincante ; mais rares sont les pages qui ne se terminent pas sur un monde clos où l'ange noir du dernier sommeil rétablit l'ordre implacable et inaltérable d'avant la naissance.

L'évasion mystique se vérifie chez Nelligan, où le ciel devient un abri céleste peuplé d'anges de théâtre et où le sentiment religieux se confond au sentiment maternel : évasion encore chez lui que la mystique, décor inutilisable devant l'échec définitif, présent à chaque détour de la confidence poétique :

Ainsi la vie humaine est un grand lac qui dort
Plein, sous le masque froid des ondes déployées,
De blonds rêves déçus, d'illusions noyées,
Où l'espoir vainement mire ses astres d'or
(p. 183)

« *UN DÉSIR DEMEURÉ DÉSIR* »

Les trois poèmes de *L'âme du poète* indiquent l'attitude générale de Nelligan en face du temps et de l'espace. Dans *Clair de lune intellectuel,* le poète dessine rapidement son monde d'évasion de l'ici-maintenant, en répétant à propos ces deux vers :

Ma pensée est couleur de lumières lointaines,
Du fond de quelque crypte aux vagues profondeurs (p. 41)

Le régime nocturne de l'image[6] s'accentue

[6] Cf. Gilbert Durand: *Structures anthropologiques de l'imaginaire,* P.U.F., 1963.

dans le contexte du « soupir », des « soirs », de « loin », de « célestes Athènes », et le « pays angélique » nous rappelle le projet initial de Nelligan d'intituler son recueil de poèmes *Le Récital des Anges*, titre révélateur de cette évasion en bonne part mystique qu'était la sienne. Le dernier vers se termine par *lunes d'or lointaines* : or « lunes » et « lointaines » possèdent ici une double dimension temps-espace, en relation avec l'astre nocturne et le cycle lunaire, en relation avec l'éloignement dans le passé ou le futur et dans la géographie réelle ou imaginaire.

Le second poème, *Mon âme*, contient des éléments comme ceux-ci : « autrefois, chambre, soir, jamais, regret de vivre, effroi de mourir, toujours attendre. » Le troisième vers est surtout remarquable :

Ah ! retournons au seuil de l'Enfance en allée (p. 42)

Relevons l'exclamation initiale nostalgique, l'impérative invitation qui indique une projection collective et une régression dans le passé, la réserve magique du « seuil » dont on n'ose franchir l'espace mince, la majuscule idéalisante et sacrée de l'enfance ; et la double interprétation de « allée », prise littéralement dans le sens de s'en aller, ici avec une connotation régressive puisqu'il s'agit de l'enfance qui s'en est allée et qu'il faut retrouver dans le passé, mais qui n'est pas sans évoquer ce terme courant chez Nelligan dans le contexte du monde clos des jardins et des chambres, « allée ».

Le troisième poème abonde aussi en éléments temps-espace : azur, mers inconnues, nuit, profondeurs du gouffre, immuable cercueil ; et surtout les trois expressions de la dernière strophe qui décrivent le « cœur » du poète : tempête brève, navire déserté, abîme de rêve : l'espace de Nelligan est celui d'un navire abîmé dans une tempête, et son temps est celui d'un rêve bref et déserté, d'un « désir demeuré désir », selon l'expression de René Char.

La deuxième partie des *Poésies* s'intitule *Le Jardin de l'Enfance,* celui dont Nelligan n'est à vrai dire jamais sorti, qu'il a retrouvé avec une telle sensibilité et une telle idéalisation. Nelligan n'écrira à peu près plus après le 9 août 1899 : il avait alors 19 ans et 8 mois, et avait écrit pendant 3 ans et 2 mois.

La poésie de Nelligan aura été, pour lui, un jardin de rêve, un milieu où le temps et l'espace sont imaginaires et animent tout de leur fiction : son monde clos ne l'est pas encore d'une façon rigoureusement négative, son sens du temps tient encore compte de la dialectique du devenir ; mais la geôle intemporelle de l'aliénation menace de plus en plus sa pensée, devant qui le devenir est clos. Réduire les rêves poétiques de Nelligan à des vagabondages exotiques et à des divagations lyriques en marge d'influences littéraires et de souvenirs enfantins, serait en ignorer la plus profonde perspective, celle de la conscience de l'aliénation. Au-delà du débat entre les sources et l'originalité de Nelligan scrupuleusement examinées, et au-delà des tropes et de l'indice de modernité du poète, Nelligan témoigne d'une dissociation profonde d'avec un contexte sociologique et culturel refusé et rejeté. Le recours à l'image poétique devient le processus d'expression dissimulé d'un esprit insatisfait de la réalité qui lui est offerte, le détour des analogies et des métaphores qui transforment sa vision du monde, et donc le monde même. Le système d'expression affective et psychique que Nelligan projette dans le monde extérieur, par le recours à l'écriture, à l'art, lui en dissimule la dimension intolérable et refusée : cette mythologie n'en constitue pas moins un processus de refus dont les motivations sont pour Nelligan lucides, quoique obscures, et soulignent clairement l'indice névrotique puis psychotique de son aventure, de son tragique destin.

Chez Nelligan, la « littérature » devient principalement un système de relations entre la réalité extérieure superficielle, et la densité profonde de son psychisme tourmenté. Le temps chez lui n'est plus la durée chronologique des jours de 24 heures et des années de 12 mois ; il n'est plus la durée psychologique de l'impression de la vie qui passe; le temps devient la dimension à la fois sereine et angoissée d'une éternité éphémère, celle d'une enfance idéalisée mais constamment menacée et irrévocablement finie. L'espace chez Nelligan n'est plus l'étendue continue des pieds de 12 pouces et des frontières géographiques ; il n'est plus l'étendue psychologique de l'impression d'un milieu cohérent ; l'espace devient la dimension à la fois ouverte et fermée d'une immensité bornée, celle d'un jardin onirique et sans cesse dérobé.

La cosmologie de Nelligan est celle de *La grande majesté de la Nuit qui murmure* (p. 102), pendant que *Le clair de lune ondoie aux horizons de la soie* (p. 106). Les poèmes de Nelligan sont ses divagations, les rivages vertigineux de ses ailleurs. L'évasion était chez lui à la fois repliement sur soi, régression dans le passé, et projection dans l'utopie spatio-temporelle : le conflit entre l'introversion abusive et l'extraversion affolée nous indique une structure psychique schizoïde, dont nous connaissons la sous-structure névrotique (complexe de culpabilité, d'infériorité, d'insécurité, angoisse obsessionnelle ; mécanismes de déplacements affectifs et émotifs dans l'ordre valoriel du transfert, de la substitution, de la compensation, de la dissimulation, profonde nostalgie, tristesse morbide, etc.). La poésie a été pour Nelligan (comme pour Goethe qui se dégage de son obsession-suicide née d'un conflit amoureux grave en écrivant *Werther*), une tentative d'évasion d'une névrose persistante et d'une psychose menaçante : son œuvre est le témoignage vertigineux d'un combat farouche, celui que livre un garçon hypersensible de 16-19 ans contre l'envahissement de la folie, dans un milieu « stressant » qui ne lui est d'aucun secours, bien au contraire.

Tout ceci, qui nous fait peut-être mieux sentir et comprendre la dimension profonde et tragique de Nelligan, n'empêche pas sa poésie d'être d'une merveilleuse présence. Désir demeuré désir ? Hélas, désir passionné de s'enfuir des geôles psychiques, demeuré désir ; mais aussi désir passionné d'être poète, devenu évidente réalité. Nelligan, comme quelques grands artistes, a laissé dans son œuvre plus que sa vie, son âme.

SAINT-DENYS GARNEAU, OU L'ANGOISSE D'ÊTRE DÉCOUVERT[1]

Un homme de trente et un ans tombe, cassé en deux, au bord d'un ruisseau par une nuit d'octobre 1943. C'est le cœur qui est brisé, « Mon cœur, cette pierre qui pèse en moi » (*P.C.*, p. 214). La lune brille dans les filets d'acier qui encagent le poète *réduit à ses os*

assis sur ses os
couché en ses os
avec la nuit devant soi (*P.C.*, p. 210). On ne

(1) « ...mais je soupçonnais bien, et dernièrement j'ai admis que c'était par angoisse d'être découvert » (*J.*, p. 123). Les références *P.C.* et *J.* renvoient respectivement à *Poésies complètes*, Fides, 1949, et à *Journal*, Beauchemin, 1954. Ce chapitre reprend, en les fondant et complétant des articles, témoignages et documents publiés dans *Le Devoir* du 9 juin 1962, dans *Maintenant* de mai 1962, et lors d'une émission de trente minutes à *Radio-Canada* diffusée le 10 juin 1962.

le retrouve que le lendemain, dans la forêt de Sainte-Catherine de Fossambault, à l'ouest de Québec.

La gloire posthume qu'on tisse en cote d'acier inoxydable et dont on entoure le jeune poète comme d'un mythe trouble le décor et entretient un système de confusions et de malentendus. Sans verser dans les techniques machiavéliques de la démystification et sans revendiquer l'exclusive révélation et possession du *vrai* Saint-Denys Garneau ; sans jouer les témoins psychanalytiques ou les exégètes doués de la révélation ; sans faire de S.-D. Garneau un prophète, un martyr, voire même un saint, il est probablement possible de rétablir quelques perspectives raisonnables, en promenant un regard sévère sur ce fait littéraire, un des plus intéressants de notre littérature québécoise, un des plus complexes et des plus embrouillés aussi.

UN REGARD PLUS SÉVÈRE

On peut dégager d'un fait littéraire comme celui de Saint-Denys Garneau de multiples dimensions qui en permettent une approche plus nuancée, une perception plus relative, une sensibilisation mieux différenciée.

Les textes, par exemple, débordent les frontières imposées par des éditions incomplètes, soit parce que des documents manquaient ou étaient inconnus, soit parce qu'une censure a été exercée, avec des intentions par ailleurs variables. Il est souvent possible de trouver des échappatoires à ces frontières, et d'ouvrir des brèches heureuses dans un système fermé, en utilisant des inédits ou des pièces peu ou pas connues.

Il n'en va pas autrement avec les témoignages et interprétations, qui se trouvent parfois devenus le fief jalousement gardé par quelques grands-prêtres du culte instauré. Ne demeure-t-il pas possible de recourir alors à d'autres interprétations, à d'autres témoignages, aussi authentiques et aussi autorisés, pour acquérir les nuances souhaitables et en enrichir le dossier ?

L'étude du fait littéraire s'en trouve renouvelée, du moins en partie, et un nouvel équilibre s'introduit de façon stimulante dans les rapports homme-œuvre et écrivain-milieu. La critique exerce ainsi son esprit spécifique, pour la meilleure connaissance de l'objet de son étude, qui se confond avec sa raison d'être.

Le poète demeure, à travers siècles et civilisations, un des témoins les plus transparents et révélateurs de la vie de l'esprit, de l'aventure culturelle, des mouvements de l'âme collective. Il est présence et invention, contemplation et verbe, orant et prophète. Plus qu'un fidèle miroir ou qu'un implacable observateur, il transpose, il interprète, il métamorphose, et ainsi se fait en faisant le monde et celui de son œuvre. Et c'est par le mot, l'écriture qu'il le fait, par une technique d'expression et de communication utilisée chaque jour par tous.

LE CERCLE DES INITIÉS

Saint-Denys Garneau occupe une place importante dans l'évolution de la poésie du Québec, et son œuvre constitue le lien organique entre l'accident fulgurant de Nelligan et la révélation de Anne Hébert, déjà droite et fragile sur le seuil même des grandes mutations des années 1950... A côté, Alain Grandbois déclame, de sa voix plus mûre et plus généreuse, les chants des Hauts Portiques qui nous obligent à l'extraire de la lente gestation de notre poésie, comme on le fait d'une invention miraculeuse dans une série contrôlée d'expériences progressives.

Saint-Denys Garneau conserve une stature particulière, celle d'un précurseur de la nouvelle poésie québécoise, prophète en creux de ce que Grandbois révélera par le relief sublime de la parole. Le fait S.-D. Garneau demeure trouble, et son œuvre, encore mal connue, possède des séductions et des limites qu'on ne peut ni sous-estimer ni parfaitement évaluer.

On a fait un *cas* de ce poète, comme on fait d'ailleurs souvent des cas d'artistes dont le destin exceptionnel attire la curiosité. Etre artiste, poète, c'est éprouver le besoin de singularisation, c'est accorder au destin une dimension exceptionnelle, c'est développer une forme irréductible d'expression personnelle. L'artiste devient ainsi *marginal* par rapport aux autres, à la fois plus dégagé et plus profondément engagé dans le tourbillon de ses contemporains, à la fois témoin lucide et partie intégrante de la société. Certaines conceptions romantiques de l'artiste en font un voyageur nostalgique, dont la sensibilité à fleur de peau ne peut guère s'empêcher de développer une conscience malheureuse du temps qui passe, du poids de la fatalité, et de la précarité du bonheur. En ce sens, S.-D. Garneau témoigne d'un romantisme caractérisé par une sorte de complaisance morbide dans la solitude, la culpabilité, la tristesse, la mort.

Et cette attitude a été entretenue par les premiers exégètes officiels du poète qui en contrôlent l'édition, l'interprétation et le culte(2). Les *Poésies complètes* sont publiées en 1949, et on y reconnaît avoir éliminé des poèmes, inédits et brouillons « qui nous ont paru nettement inférieurs et impersonnels » (*P.C.*, p. 9) ; il ne faut pourtant pas abuser des mots, dans de telles circonstances, et qualifier de « poésies complètes » ce qui ne l'est guère, comme en témoignent des dizaines de poèmes rejetés que nous avons pu consulter et qui

(2) Pour les *Poésies*, MM. J. LeMoyne et R. Elie, qui s'adjoignent M. G. Marcotte pour le *Journal*.

apportent des éclairages très significatifs dans l'étude de l'œuvre. Les mêmes officiants ont émondé les cahiers et publié le *Journal* en 1954 : « Nous n'avons pas retenu toutes ces notes, ...nous avons cru nécessaire de supprimer certains passages... » (*J.*, p. 8).

On a exploité la vie privée de S.-D. Garneau, sa longue maladie, sa réclusion volontaire, sa mort étrange, ses manuscrits, ses inquiétudes, ses confidences, pour en fabriquer une quincaillerie dont le contexte sentimental devient propice à l'éclosion du mythe. Et les hommes y perdent toujours à être promus à l'état de mythe, la mythification ressemblant, la plupart du temps, à la mystification.

Rouvrir le dossier S.-D. Garneau présente un jeune artiste doué d'une étonnante lucidité, d'une rare exigence devant l'acte d'auto-critique et d'écriture, d'une soif profonde d'explorer la signification dernière et secrète de la vie. Sa lucidité s'étoffe d'un pouvoir visionnaire puissant, sans pour autant trahir ou masquer la réalité objective devant laquelle il est capable de sourire et d'ironie. Les arabesques des rimes sonores et des vocables lumineux constituent un jeu qui dissimule mal un sens tragique, irréductible à quelques étiquettes pathologiques : la source s'en trouve dans une nostalgie en quelque sorte cosmique, dans un mal de l'être, ayant en filigranes la souffrance humaine et le vertige des gouffres infinis, ce qui ne l'empêche pas de se livrer souvent à une franche et saine gaieté.

LE CERCLE S'ÉLARGIT

De toute évidence, l'urgencce s'impose d'établir un dossier Saint-Denys Garneau plus complet, par la publication d'une édition critique intégrale de tous ses textes : poèmes, cahiers, journal, lettres, etc., et par la publication d'une bio-bibliographie méthodique. Aussi longtemps que cette lacune ne sera pas comblée, il sera impossible d'entreprendre une étude intègre de Saint-Denys Garneau.

Depuis 1960, on nous promet une édition critique complète des œuvres de S.-D. Garneau, et il est regrettable qu'on ne mène pas à bon port telle entreprise, susceptible de rétablir des perspectives moins tendancieuses autour du poète dont la chaleureuse présence remplit les témoignages de la tradition orale, comme une bienfaisante frange de fraîcheur autour des papiers jaunis des manuscrits. S.-D. Garneau était capable de gaminerie, de fantaisie, d'extravagance même ; amoureux de la nature, il s'attachait à la simplicité irremplaçable de ses amis paysans, qui le reposaient de ses accès de tristesse ou de ses exaltations ; il disparaissait sous les grands pins, pinceaux et toiles sous le bras, et allait se livrer à une grandiose liturgie dont ses écrits ne lui paraissaient que bien tiède et gauche souvenance. Un paysan dira à la mère du poète après sa mort : « Votre fils, madame, le bois va bien s'ennuyer de lui ».

L'examen des manuscrits de S.-D. Garneau montre un scrupuleux artisan du verbe, attentif aux techniques de l'écriture, qui relit, reprend, reformule, cherche à donner à sa parole la plus grande justesse et la plus large signification. Certaines pages sont encombrées de ratures, de reprises, d'essais, de variantes, comme si elles cherchaient non pas à atteindre à la perfection stylistique, mais bien plutôt à cerner de plus près le moment de l'existence, le souffle de l'âme, la courbe exacte du mouvement de l'esprit. En ce sens, le manuscrit constitue la confidence globale de l'écrivain, et le danger de violer ou violenter ce domicile intérieur devrait retenir le critique qui se penche sur les textes, prêt à succomber aux tentations de la graphologie, du voyeurisme.

Saint-Denys Garneau écrivait dans des cahiers, ou sur des feuilles volantes, au gré de l'inspiration ou du moment. Chaque texte rouvre le combat de l'écriture, l'apprivoisement du matériau capricieux du langage, où tout peut se lier ou délier du même geste fragile, où le poème est modelé comme le potier le fait de sa glaise, sur le tour permettant à la main de rêver de tous les possibles, à travers les formes successives dans la danse qui investit le vocable de toute l'énergie magique de la parole.

Dans les plus belles pages, jaillies comme sources de printemps, le souffle même du poète transparaît à travers l'heureux accomplissement de l'image, nous laissant éblouis par la densité du désespoir ou par la fulgurance du désir :

Et mon cœur charnel est ouvert comme une plaie

D'où s'échappe aux torrents du désir
Mon sang distribué aux quatre points cardinaux (*P.C.*, p. 87)

Ailleurs, les mots chercheront l'exacte encoignure, les images trouveront des télescopages plus efficaces, les vers trouveront l'articulation condensée déjà justement soulignée :

On est écrasé entre l'air et le vent
Le vent nous écrase contre l'air
On passe avec le front contre son mur

deviendra :

Le vent dans le dos nous écrase
le front contre l'air

L'œuvre de Saint-Denys Garneau possède cette remarquable qualité d'être en bonne partie, et dans le meilleur sens du terme, inachevée : ce qui en permet une fréquentation beaucoup plus fascinante et enrichissante, les variantes et les retouches nous invitant, avec toute la discrétion qui s'impose, à jeter un coup d'œil par-dessus l'épaule du poète qui écrit et reprend ses textes. L'écriture devient ainsi confidence et exorcisme, et aussi joie plénière et fascination de la naissance du monde nommé.

QUELQUES TÉMOIGNAGES

En attendant l'édition critique de Saint-Denys Garneau, enrichie des variantes manuscrites et des climats proposés par la tradition orale, en attendant une bio-bibliographie méthodique, nous pouvons verser au dossier quelques témoignages de personnes qui ont été toutes proches du poète, comme les écrivains Roger Duhamel et André Laurendeau, et son frère Jean Garneau.

M. Roger Duhamel était confrère de classe de rhétorique de Saint-Denys Garneau au Collège Sainte-Marie de Montréal, et nous a confié ces commentaires. « On ne pouvait pas prévoir la carrière littéraire de Saint-Denys Garneau sur les bancs du collège... Il était sans doute original, un grand buveur de café, et son rire ne s'oublie plus. Ce grand rire bien particulier, qui nous mettait presque mal à l'aise. Sa famille était bourgeoise, et il possédait un sens de l'humour remarquable. Quelques années plus tard, comme je m'adonnais à la critique, j'ai signé avec beaucoup de plaisir une analyse de *Regards et jeux dans l'espace* : c'était là pour moi une révélation, et j'étais nettement emballé. Nous avions enfin un poète original, un poète qui ouvrait des voies nouvelles. Malheureusement, Saint-Denys Garneau est mort prématurément : il aurait pu faire des œuvres très grandes. Ce qu'il nous a laissé, malgré de fort belles qualités, ne constitue après tout qu'un prélude à un grand œuvre. Il s'y trouve des ébauches sublimes, des pages remarquables, qui nous laissaient espérer les plus grandes choses. »

M. André Laurendeau était aussi un compagnon du poète au Collège Sainte-Marie. Pendant une période où ils étaient tous deux malades, ils ont eu l'occasion de se rencontrer souvent et de lier amitié. Ils causaient longuement, sentaient entre eux une certaine transparence, à cause surtout de cette neurasthénie qu'ils partageaient bien involontairement. « Nous avons passé trois semaines ensemble au Manoir. Saint-Denys, qui avait quelque chose au cœur, cessa de boire du café et de fumer, pendant ce repos. Il peignait beaucoup, s'appliquait à rendre la neige, et ressentait, comme moi, un vague ennui du bout du monde que nous ne parvenions pas à bien définir. Parfois il était plein de santé et de rire, parfois il se refermait silencieusement, gravement. Il y avait chez lui quelque chose de païen, de sensuel : il *prenait* le vent, le soleil, la chair humaine, un peu comme le Camus de *Noces*. Quand j'ai reçu son recueil de poèmes, j'étais à Paris, et j'ai été ébloui. Quand en 1933 je me suis lancé dans l'action des Jeune-Canada, j'ai compris que Saint-Denys n'approuvait pas cet engagement social. Il y avait chez lui une certaine angoisse, qui nous laissait une pénible impression de faille, de trou. Contradictoire et insaisissable, tel il était, au point qu'on pouvait passer à côté de lui sans le connaître. Somme toute, il était sympathique, il aimait l'art, les belles choses, la musique ; ses exigences étaient grandes en tout, il nous forçait à réfléchir, sur le moment ou après coup ; à l'occasion il était loufoque et rabelaisien. Mais je n'ai découvert le sens de son œuvre qu'après sa mort. »

Le témoignage de M. Jean Garneau prend une singulière importance et nous révèle des aspects peu connus du poète. Jean Garneau « rencontre » son frère vers seize ans, en manifestant de l'intérêt pour une mélodie de Mozart : aussitôt une forte amitié se développe, et ils partent bientôt tous deux en retraite à la Trappe d'Oka. C'est peu après ce séjour à Oka que S.-D. Garneau choisira de s'installer en permanence à Sainte-Catherine, où il recevait volontiers romans policiers et lettres de son jeune frère, qui l'allait rejoindre de temps à autre, pour quelques jours de « repos » : chasse aux perdrix, promenades en voiture dans des routes impraticables, excursions au clair de lune, descente en skis de l'escalier intérieur du manoir, solides repas que le poète cuisinait très bien, interminables auditions de musique...

S.-D. Garneau fuyait ceux qui le ramenaient à des discussions propices au réveil de l'angoisse, mais par ailleurs n'hésitait pas à interpréter le rôle-titre du *Malade imaginaire* au petit théâtre d'été où jouait aussi sa jeune cousine Anne Hébert. Et Jean Garneau s'oppose à l'image qu'on a fait de son frère : « être morbide, isolé, abîmé dans et par sa dépression », pour nous présenter une version plus réelle et complexe : « ...le frère enjoué, rieur, même avec les soucis qui l'accablaient parfois. Des anecdotes me rappellent le bohème, l'original qui avait besoin de s'isoler, et qui était en proie à des épisodes de dépression lorsqu'il se trouvait en face de l'existence et qu'il se questionnait. Je le répète, Saint-Denys n'était pas toujours déprimé ; il était capable de rire avec ses amis, et de les faire rire avec son humour et son habileté à voir le cocasse d'une situation. En somme, un homme plus troublé peut-être que bien d'autres, mais un homme tout de même capable de gaieté, et qui montrait souvent une sérénité que bien d'autres pourraient lui envier. »

DOUZE POÈMES PEU OU PAS CONNUS

Les poèmes suivants, peu ou pas connus, écrits entre 1929 et 1935, sont pour la plupart des textes de jeunesse, S.-D. Garneau étant alors âgé de 15 à 23 ans. Ces poèmes nous ouvrent une voie d'approche plus intime, et plus naturelle à l'œuvre publiée. C'est à l'intérieur de ces années décisives que se jouait, sur des éléments nettement dramatiques, l'avenir du poète ; là s'enracine l'œuvre entière, dans l'apprentissage du langage, dans l'apprentissage de la vie aussi, les deux ne se séparant guère. Dans l'apprentissage de la souffrance et de la joie, de la liberté et de la mort, de l'amour et de soi-même.

LA VIEILLE ROUE DU MOULIN

Vieille roue, cependant que tout est endormi
Et que l'aurore à peine a doré l'horizon,
A quoi donc songes-tu, et quelle rêverie
Enivre ton vieux cœur? Une ancienne chanson?
Oui, je l'ai deviné : celle que te chantait
L'eau claire te frôlant tout comme une caresse
En te faisant tourner. Ton essieu mugissait.
Cette eau limpide et pure, elle était ta Déesse.
Maintenant, des débris du vieux dalot brisé,
Elle tombe en cascade et loin de toi fredonne
Cette vieille chanson que tu as tant aimée...
Hélas ! à tout jamais sa douceur t'abandonne !
Jamais plus ton essieu maintenant tout rouillé
Ne tournera, ni toi... Sur tes pauvres débris
Quand viendra le printemps et ses fleurs embaumées
Bien des gais oiselets viendront faire leurs nids
Oui, pauvre vieille roue ! Un glas lugubre sonne !
Et tristement encor tu rêves au passé
Cependant que le vent, sinistre et monotone,
Siffle dans tes grands bras inertes et glacés !

Saint-Denys Garneau avait tout juste quinze ans quand il écrivit ce poème, le 22 août 1927 : nous pouvons déjà y déceler un sens de l'animation très développé, une attention devant des phénomènes qui paraissent sans importance à la majorité, et surtout une nostalgie, une tristesse, vagues encore mais présentes. Nous ne sommes plus au niveau des poèmes de compétition ou des exercices de versification : l'expérience poétique véritable s'y trouve sans doute gênée dans un thème mince, et les contraintes d'un langage encore jeune et approximatif viennent expliquer les hémistiches malhabiles, les chevilles évidentes, les ponctuations romantiques. Mais un ton s'impose, encore mal assuré sans doute, si on oublie l'âge du poète ; il y a là une promesse, une promesse et une menace. Une présence du rêve, du songe.

FUIS, PASSÉ !

Ah ! Fuyez, Souvenirs, j'ai crainte du Passé ;
Ses larmes me font mal à voir couler sans trêve,
Et ses bonheurs ne font que me laisser un rêve
Qui les regrette en vain ; et mon cœur est lassé !

Ah ! Fuyez, souvenirs, j'ai peur de vos images,
Passé mort, disparais dans l'ombre du lointain
Je pleure chaque fois que je vois le matin
Dorer l'inaccessible appât de tes rivages.

Car j'ai la nostalgie attachée aux jours bleus
Disparus, le regret des heures envolées,
Et les peines d'hier ont laissé désolée
Mon âme où restent tous les pleurs des jours qu'il pleut !

Passé, j'ai trop de mal à tant te reconnaître
Car tes deuils ont déteint sur les jours à venir
Je repleure tes pleurs ! Ah ! Fuyez, Souvenirs
Car je me sens si las que je voudrais renaître !

Ce poème a été écrit le lundi 30 septembre 1929, sous le poids bien précoce du passé tout neuf d'un jeune garçon de dix-sept ans.

DERNIER ADIEU

Ce soir, je la verrai celle qui m'est si chère.
Mais je ne pourrai plus lui faire des aveux ;
Je ne baiserai plus ivrement ses cheveux,
Et ses prunelles d'or pour moi seront moins claires...

Tristes, nous valserons, toujours silencieux,
Car nous n'aimerons pas les mots trop
éphémères ;
Un sourire viendra sur nos lèvres amères,
Et ce sera le seul et notre seul adieu...

Car nous nous quitterons sans baiser ni
promesse,
Sans parler du passé qui n'est plus qu'un regret,
Sachant de l'avenir le douloureux secret,

Nous garderons en nous notre vaine tendresse
Qui n'aura pas fleuri notre impossible amour.
Je la verrai partir sans larmes pour toujours !

Il y a une brisure dans cette confidence du 5 novembre 1929, brisure dissimulée sous la forme rigide et froide d'un sonnet en alexandrins. Quelques mois plus tôt, Saint-Denys Garneau avait été retenu à la maison par une maladie assez grave, puisqu'on soupçonnait déjà une lésion au cœur. Surtout ici, il faut apprendre à nous méfier d'une interprétation sentimentale. Nous ne sommes pas devant une variante de Lamartine ou de Sully Prud'homme. L'auteur est un tout jeune homme à ses premières connaissances amoureuses, mais une lucidité nette, tranchante même, apparaît dès le premier quatrain, qui se poursuit, dans la tristesse, dans le silence, dans ce sourire qui viendra sur les lèvres amères du jeune couple. Le présent devient presque une impasse, entre un passé-regret et un avenir dont on connaît déjà « le douloureux secret ». Les deux premiers vers du dernier tercet trahissent, avec une économie de moyens qui n'est pas courante chez les adolescents lyriques et démonstratifs, un malaise profond ressenti dans le filtre d'une sensibilité déjà éprouvée.

Saint-Denys Garneau découvre pendant ces années la magie littéraire : les métamorphoses que l'écriture apporte à nos expériences, d'une part ;

et d'autre part, la présence mystérieuse des paysages verbaux, des paysages fascinants du langage. Il écrit mercredi le 23 avril 1930 le poème suivant :

VENISE

L'eau sanglote qui glisse au long de la gondole,
L'eau qui fit rose et d'or un couchant indolent,
Et le souffle attiédi du soir ondule, lent
Comme un encens, autour de Venise, l'idole ;

Et Venise, que j'aime, en le manteau flottant
Etoilé de la nuit se glisse, vierge folle,
Et se livre, alanguie, aux caresses frivoles
De souffles parfumés qui la bercent longtemps.

La lune tremble au flot que ride la gondole,
Le chant du gondolier tremble aussi dans le soir,
Et dans l'eau tremble aussi l'ombre du bateau noir ;

Au lointain violet tremblent les voiles molles
Et le firmament bleu paraît pâle et tremblant
Sur l'onde où tremble encore l'ombre des palais blancs.

Ce poème peut être considéré comme un exercice de technique, de gammes, de palettes. Saint-Denys Garneau développe un thème et l'entoure de tout son décor : vocabulaire approprié, couleurs locales, réminiscences inévitables, clichés et pittoresque. De plus, l'auteur choisit délibérément la forme du sonnet. Et pourtant les clichés sont dénoués, les réminiscences sont effacées, les couleurs locales se changent en halos, le pittoresque s'anime et dépasse la simple dimension de décor de carton-pâte. Cette métamorphose s'exécute avec des moyens très simples, entre autres le procédé de la répétition. Dans les deux tercets, « tremble » revient six fois (en comptant la variante « tremblant ») et sert ainsi d'articulation naturelle, liquide, renforçant l'effet d'estompement qui constitue la dimension la plus intéressante de cette page de jeunesse.

Le poète n'a que dix-sept ans et déjà son chant s'élève, « lent comme un encens », dans les ombres lointaines de noirs bateaux et de blancs palais, son chant crée une Venise imaginaire et grandiose, poétique. L'incantation du poète apparaît, à l'examen textuel, d'une qualité de transparence et de télescopage d'images telle qu'on doit parler ici d'art de prestige et de prestidigitation. Ce qui avait tout d'abord l'air d'un sonnet d'apprenti devient lumineuse expérience du langage dans des recettes, des formes et une thématique trompeuses.

Deux jours plus tard, soit le 25 avril 1930, l'auteur écrira dans la même veine :

CRÉPUSCULE

Le soir descend sans qu'on y songe :
L'ombre des grands arbres s'allonge
Près de l'étang bruni que longe
Le sentier où je vais en songe,
Et le ciel a l'air d'un mensonge
De rose et d'or où l'astre plonge.
Le crépuscule se prolonge
Comme cet ennui qui me ronge
Jusqu'à la mort, jusqu'à la nuit
Où sombrent le soir et l'ennui.
Le soleil, l'espoir, rien ne luit,
Sauf l'espérance aveugle en Lui,
Car ma chimère a toute fui
Et j'ai perdu le rêve ami
Qu'au ciel noir mon âme avait mis
Comme une étoile dans la nuit.

Le crépuscule se prolonge
Comme cet ennui qui me ronge

Jusqu'à la mort, jusqu'à la nuit
Où sombrent le soir et l'ennui.

Saint-Denys Garneau manifeste ici davantage un parti pris de composition : d'abord la rime en « onge » répétée huit fois, puis la rime en « i » répétée également huit fois, et enfin le quatrain final possédant deux rimes en « onge » et deux rimes en « ui ». Les vers sont des octosyllabes d'un découpage mince, nerveux, et pourtant l'effet se transforme en un rythme long, berceur, presque majestueux au milieu du texte.

Poésie de recherches, esthétique expérimentale, apprivoisement progressif d'un mystère, celui de l'écriture, celui, plus large, de l'art : telle est l'aventure à laquelle nous convient les poèmes de Saint-Denys Garneau, et que des approches nébuleuses avaient trop souvent malencontreusement brouillée. Il ne faut pas faire disparaître la parole fraîche du poète derrière des murailles de morbidité et de drames inavouables ; et ceci n'enlève rien à la dimension dramatique incontestable de nombre de pages de celui dont la vie même fut souvent tragédie et incompréhension, malentendu et solitude.

Il faut apprendre à lire les poèmes avec une âme ouverte, une âme disponible à la grande aventure des migrations et des métaphores, des métamorphoses. La lettre, le mot ne sont que matériaux bruts qu'il faut bien vite dépasser, vers le pays de la réalité poétique, moins univoque et moins sec.

Voyons un autre poème écrit le dimanche 18 mai 1930, et accompagné de cinq variantes : ici encore, derrière les jeux des rimes et des approximations, il faut voir le sens d'un drame qui hésite dans son expression, dans sa formule. Et les variantes viennent renforcer cette impression du poète attentif à saisir et à traduire le mystère de son monde intérieur.

DÉSESPOIR

Je le sais, le bonheur ne fut pas fait pour moi :
Je l'ai cherché partout, aux cieux comme en la terre,
Mais la fleur se fanait dans ma main, éphémère[1]
Et le ciel m'a crié : « Je suis trop beau pour toi » !

Et je traîne partout ma pleurante misère[2]
Cherchant partout l'oubli de mon pleurant émoi.
Je regarde couler les ans comme les mois[3]
Mais le temps ne fait rien à ma douleur amère[4]

Je suis un étranger à tous et solitaire,
Et j'ai dit à mon cœur énervé de se taire,
Parce qu'on hait ses pleurs sans fin et soucieux ;

Car il n'est rien qui soit pour arrêter ma peine :
Mon cœur veut aimer plus que ce qui dure à peine[5]
Et je suis trop petit pour la grandeur des cieux !

J'ATTENDS MA VIE

Ah ! je suis un lambeau déchiré, je suis las,
Je suis pâle, petit, indolent, comme vide :
Mon cœur est endormi et sous mon front livide
Rien ne vit ! Je suis faible, inerte, affaissé là !
Je languis sans grandeur, je suis commun et fade !
Oui, mais j'attends ! — sans voix, mon cœur étant sans feux —
J'attends l'effarement du rêve que je veux

(1) Mais la fleur se fanait pour moi trop éphémère
(2) Et je traîne partout le poids de ma misère
(3) Je regarde passer les ans comme les mois
(4) Mais le temps ne fait rien à ma tristesse amère
(5) Mon cœur veut aimer plus que ce qui vit à peine

Et l'énervement noir des chimères malades !
J'attends ! Je suis sans voix, et j'attends le sombreur
Qui rend, dressés au ciel, les arbres fantastiques,
Ou la nuit exaltée où le cœur est mystique
Et s'extasie au pied des croix rouges d'horreur !
J'attends la fièvre immense où mon cerveau veut vivre
Et le feu rougissant où mon cœur veut brûler,
Où des voix inconnues semblent en nous hurler
Comme des hurlements de loup parmi le givre !
J'attends le frisson froid des affreuses terreurs,
J'attends les visions lugubres qui se chassent
Eperdument, pendant que les éclairs bleus cassent
Dans les nuages froids aux plus blêmes lueurs !
J'attends l'heure glacée, ah ! l'heure échevelée
Macabre, où les forêts jettent des cris d'horreur
Qui montent dans le nu des cieux mats, sans pâleur,
Faits de fauves nuages aux sanglantes coulées
De lave en fusion ! L'heure ivre, je l'attends,
Où mon âme ressent des affres noirs qu'aucune,
Qu'aucune autre ne sent parmi les nuits sans lune,
L'heure où mon cœur entend ce que pas un n'entend !
J'attends la vision, la fièvre, la folie,
L'heure où mon regard fou fixe la nuit, hagard,
Fasciné par l'éclat de la foudre, blafard,
Qui fend le ciel peuplé d'horreur !

J'attends ma vie !

Ce poème a été écrit le samedi 29 mars 1930, et ouvre des perspectives troublantes, qu'il serait regrettable de prendre trop à la lettre. L'éloquence même du texte en assied le fond de rhétorique, par ailleurs fort convaincante. Le lexique ruisselle, le rythme s'emporte, l'image claque au vent du discours. Le jeune poète, à dix-sept ans, déploie une rare maîtrise du langage, une lucidité impressionnante, et une nette exigence d'écrire sa vie dans ses implications les plus profondes, dans ses replis les plus secrets.

Il serait possible, à partir d'une telle page, d'amorcer une topographie des thèmes émotifs qui obtiendront plus tard des échos fertiles dans les grands chants tragiques des *Solitudes*. Le climat de cette page n'est pas sans évoquer celui de Poe, tel que préfacé par Baudelaire, où règne le *sombreur*, sur les chimères violacées de l'épouvante. Est-ce fureur de vivre, est-ce délire verbal, est-ce goût d'avoir peur, est-ce lugubre vision d'un « monde irrémédiable désert » (*P.C.*, p. 159) qui inspire le tout jeune poète et le marque au front du signe du voyant ?

Le 16 mai 1930, un autre poème surgit, pétri de la musique de Verlaine :

GRISAILLE

Le soir s'évapore
Avec le couchant,
Parmi le doux chant
Du vent qui s'éplore,

Et la nuit descend
Plus suave encore,
Et la lune dore
Un arbre en passant.

L'air est plus sonore
Et plus frémissant
Au chant d'un passant
Rêveur qui s'ignore

Le soir s'évapore
Avec le couchant,
Parmi le doux chant
Du vent qui s'éplore.

Suis-je triste ou gai ?
Je ne saurais dire ;
Dans ce vert bosquet
Qui semble sourire

Mon chagrin s'étire
Et semble coquet
D'être si discret
De mélancolie.

Elle est si jolie
Ma peine de cœur
Qu'il serait folie
D'en verser des pleurs ;

N'est-il pas meilleur
Aussi d'en sourire
Un sourire lent,
Non pas indolent,
Mais un peu coulant
Et qui veut bien dire
Mon émoi troublant.

Tranquille pourtant
Comme la nuit lente
Qui glisse à la pente
Et pleure en chantant.

Car c'est une peine
Qui semble rêver,
Qui fait mal à peine
Et qui fait trouver
la lune incertaine
Au ciel étoilé
Par-dessus la plaine.

La chose est sans nom
Et pourtant divine
Elle se devine,
Nous la comprenons
Comme on peut comprendre
Les choses sans nom.

Le cœur semble attendre :
On croirait entendre
Un sanglot s'étendre,
Infiniment tendre,
Jusqu'au loin gris cendre.

C'est comme un vent bleu
Qui tremble et s'émeut
En courbant un peu
Le jet d'eau qui pleut
Des ondes perlées
C'est tout, ce n'est rien :

Un émoi serein
Comme en la vallée
De brume voilée
La nuit étoilée !

C'est de la douceur
Et de la tendresse,
C'est comme une ivresse
Enivrée de pleurs !

Le soir communique
La langueur des fleurs
Aux chagrins des cœurs.
A l'heure angélique
Où tout s'évapore
Avec le couchant
Parmi le doux chant
Du vent qui s'éplore.

Ces vers de cinq syllabes nous laissent la souvenance d'un paysage estompé, révélé par bribes, selon un premier module de confidences, celui d'un microcosme chatoyant et soyeux ; un second rythme apparaît bientôt, celui du macrocosme, du monde global, mais sans gigantisme. La composition du texte conserve sa minceur, sa sveltesse, et sa fragilité. L'inventaire du poète se glisse subtilement à travers vers et strophes, sur un ton de chanson, de complainte, et utilise les tactiques du leitmotiv et de la variante. La litanie gonfle le climat du texte, et souffle aussi bien en chaque mot employé qu'en la composition d'ensemble une double signification : la première étant perceptible à la surface du poème, la seconde mûrissant sous le frissonnement du paysage et nous invitant à de nouvelles contemplations.

L'expérience du poète de 17-18 ans se déploie en toutes directions en cette année 1930, et le 23 mai S.-D. Garneau laisse s'échapper cette sombre détresse :

RÉSIGNATION

Je me suis résigné — Ma plainte serait vaine —
A voir mon corps toujours s'affaisser en chemin ;
Je m'y suis résigné, car en voyant ma main
J'ai compris quel sang pauvre en emplissait les veines.

Car aussi j'ai compris qu'il me faudrait traîner
Jusqu'à la mort ce corps débile et qui défaille,
Et j'ai compris tout le dégoût de la bataille
Qu'il me faudra durer à sa débilité.

J'ai compris que son poids, attaché à mon âme
La retiendrait toujours dans ses élans divins :
Je me suis résigné — Me plaindre serait vain —
Et j'ai prié la mort de délivrer mon âme.

J'aurais voulu laisser sur le bord du chemin
Ce fardeau que je porte en ascendant la côte
Pour m'élancer plus pur vers la Beauté plus haute !
Je me suis résigné, car la Mort, c'est demain !

Quelques années passent, joies et tristesses se succèdent en l'âme de S.-D. Garneau, fortement attaché au manoir de Fossambault où se trouve déjà la source et le refuge de son inspiration. Un poème plus léger, qui date d'ailleurs de plus tard (1934-35?), et qui n'est qu'une esquisse gracieuse où apparaissent les séductions verbales du jeune auteur, révèle en ses douze lignes de remarquables qualités et mouvements plastiques :

JE N'AIME QUE...

Je n'aime que ma mie et puis mon grand
chien noir
Et je suis un peu fou mais j'aime ma folie
Et j'aime aussi ma mie et ma mie est jolie
Je vis de ma folie en un grand vieux manoir
Et j'aime bien ma mie et j'aime mon chien noir.
Le manoir où je vis n'a pas de poivrières
Le manoir où je vis avec mon grand chien noir
Il n'a pas de caveaux comme des entonnoirs
Il n'a pas de tourelles et pas de meurtrières
Le manoir où je vis n'a pas de poivrières
Il n'est pas entouré par de larges canaux
Avec un pont-levis dont grincent les ferrures.

Une autre esquisse de la même époque souligne les recherches d'écriture du jeune poète, correspondant aux tumultes de son âme, aux bourrasques et aux zéphyrs de sa vie.

QUAND LOIN...

Quand loin de ton cœur, ton cœur vénéré
Quand loin de ta chair, ta chair fraternelle
Quand loin de tes mains, colombes plus belles
Quand loin de tes pieds, tes pieds adorés
Quand loin de ta vie, ta vie désirée
Quand loin de tes jours je serai parti
Ils me resteront, tes yeux agrandis.

Le 10 août 1935, le poète de 23 ans écrit une page qui conserve l'aspect inachevé, et d'autant plus révélateur, d'impressions immédiates jetées sur papier. On y sent la communion puissante avec la nature, dans une sorte d'*Einfuhlung* qui invite l'artiste à diffuser son âme dans les arbres, le vent, la sève, y sentant aussi bien les grands remous de la mer.

LES PINS

Les grands pins,
Vous êtes pour moi semblables à la mer
La rythmique lenteur de vos balancements,
Vos grands sursauts quand vous luttez contre le vent,
Vos rages soudaines,
Vos révoltes,
Ces grandes secousses qui jaillissent de vos racines,
De vos racines inébranlables,
Et tout le long du tronc,
Tout au lòng du centre résistant
(Les secousses qui s'amortissent dans les racines, dans le tronc, où tout meurt dans la paix et le calme)
S'en vont mourir à votre surface,
Dans le vert glauque des feuillages
Qui frémissent au vent dur
Et votre faîte se renverse comme une tête cabrée.
Chaque tête de la forêt frémit,
Mais d'un frisson intérieur
Qui circule à travers le bois élastique des troncs (tendus)
Dans la grande masse de la forêt
De sorte que c'est bien semblable à la mer.

La série de ces douze poèmes, dont la première dizaine est écrite par un garçon de 15 à 18 ans, ouvre une perspective fascinante dans l'approche de l'œuvre de Saint-Denys Garneau, et la collection de toutes les pages négligées ou rejetées permettra sans doute de trouver à l'œuvre poétique, et à toute l'œuvre écrite de Saint-Denys Garneau de nouvelles dimensions.

TENTATIONS DE L'ANGE ET DE L'ART

Les textes publiés dans les *Poésies complètes* (sic) ont été probablement écrits entre 1935 et 1937, et le *Journal* publié, entre 1935 et 1939. La correspondance se prolonge jusqu'en 1941, semble-t-il. Hector de Saint-Denys Garneau naît à Montréal le 13 juin 1912, il écrit déjà à 15 ans, il publie *Regards et jeux dans l'espace* à 25 ans ; le 24 octobre 1943, après un gai repas chez des amis de la famille, il se réfugie sur une petite île où il bâtit une cabane, et une attaque cardiaque l'oblige à regagner péniblement le rivage et à demander qu'on vienne le chercher, à une ferme voisine ; mais les paysans n'ont pas le téléphone, et S.-D. Garneau repart seul : on le retrouve le lendemain, mort, près de la rivière.

Si nous ajoutons à ces faits trois autres éléments, nous complétons le cadre biographique. D'abord, il abandonne ses études de philosophie en 1934, à 22 ans, à cause d'une lésion au cœur due au rhumatisme ; ensuite, en 1937, il fait un court voyage à Paris, qui semble le traumatiser ; enfin, à partir de 1936, le poète de 24 ans se réfugie dans une solitude à peu près complète dans le manoir de Sainte-Catherine de Fossambault.

Il serait vain d'ouvrir le jeu de l'analyse thématique, avant d'avoir à notre disposition l'ensemble des textes du poète. En attendant, nous pouvons pratiquer un sondage qui laisse deviner deux pôles dans le champ de conscience du poète, deux pôles que se partagent l'affectivité et l'intelligence : tentation de l'art, et tentation de l'esprit pur.

On le sent tout au long du *Journal* et en marge des poèmes, Saint-Denys Garneau se laisse attirer et fasciner par des écrivains comme Baudelaire, Kafka, Mauriac, Bernanos, Claudel, Supervielle ; par des musiciens comme Bach, Beethoven, Mozart, Debussy ; par des philosophes comme Gabriel Marcel, Maritain, Berdiaeff. Le tumulte de son âme y trouve des échos, sinon des apaisements, et c'est le mouvement de l'esprit qui lui semblera toujours préférable aux certitudes absolues : « Quand nous souhaitons une élite qui ait du goût, ce n'est pas une réunion de bonzes que nous voulons, qui donnent le 'ton' et sachent juger des choses de l'art. Non, nous voulons une collection de vivants, des gens en marche, en amour, en vie... » (*J.*, p. 102).

Les sommets de l'art lui semblant inaccessibles, le poète s'ouvre à la tourmente de la mystique, et tente de refuser l'ordre de la sensibilité, de la sensualité, de l'affectivité, poussant même cette purification sublimante jusqu'au reniement du sensuel : « Dans mon adolescence, une sorte de désir que mon corps finisse à la ceinture. N'avoir que la poitrine, pleine de lumière, sans le relent du sexe, l'appel d'en bas... » (*J.*, p. 218).

Mais la chair ne se répudie pas, au profit de l'esprit. La chair, assumée par l'intelligence, ouvre le monde merveilleux et troublant de la sensibilité, de l'art. Et S.-D. Garneau poursuivra jusqu'à sa mort l'examen de ce dilemme, perdu et écartelé entre les deux profondes tentations de son être, l'art et l'esprit pur. La dimension mystique de sa crise semble convaincre moins que sa tentation esthétique, où se pose dans toute son amplitude le débat de l'âme et du corps. Etre piégé, le poète éprouve au paroxysme le malaise ultime de l'humaine condition, celui de ne pouvoir concorder avec soi-même autrement que dans l'ultime respiration :

et c'est moi
Le mourant qui s'ajuste à moi (*P.C.*, p. 204)

« Je suis traqué. Je me sens traqué comme un criminel. Depuis longtemps. Mais cela devient vraiment insupportable. Cela me tue... Et depuis la publication de mon livre, je surveillais les journaux avec anxiété, tout comme un criminel traqué. Au début, je voulais me faire croire que c'était par hâte de connaître l'accueil qu'on y faisait. Mais je soupçonnais bien, et dernièrement j'ai admis que c'était par angoisse d'être *découvert*... Je ne craignais qu'une seule chose : non d'être méconnu, non d'être refusé, mais d'être découvert. C'est donc qu'il doit y avoir dans mon livre quelque chose de faux, quelque chose de malhonnête et de mensonger, une fourberie, une duperie, une imposture. » (*J.*, pp. 119, 122-123).

Ce sentiment trouble semble poursuivre le poète jusqu'à sa mort, depuis la publication de *Regards et jeux dans l'espace* en 1937 jusqu'en 1943. Souvent dans son *Journal*, il revient sur le thème de la tricherie. La recherche absolue d'authenticité le ronge. La question S.-D. Garneau, c'est justement l'angoisse d'être découvert. Combien de pages pourrions-nous citer, dont par ailleurs la beauté ne laisse pas d'étonner, surtout dans ses poèmes :

Je ne suis pas bien du tout assis sur cette chaise (*P.C.*, p. 33)
Ne me dérangez pas je suis profondément occupé (p. 35)
Je marche à côté de moi (p. 101)
Toutes paroles me deviennent intérieures (p. 122)
Monde irrémédiable désert (p. 159)
On n'avait pas fini de ne plus se comprendre (p. 189)

Et si le poète, dans un mouvement d'amicale chaleur, ouvre larges la porte et le cœur, il sera bientôt refoulé dans le repaire de la solitude insurmontable :

Ma solitude n'a pas été bonne (p. 147)
Je songe à la désolation de l'hiver seul
Dans une maison fermée (p. 69)
Je veux ma maison bien ouverte (p. 107)
C'est eux qui m'ont tué (p. 201)
S'endormir à cœur ouvert (p. 220)

UNE DESTINÉE INACHEVÉE

Pourtant Saint-Denys Garneau désirait plonger dans la vie, jusqu'à la racine où jaillit la sève même de l'être. Le thème du regard montre bien en lui l'avidité de la plénitude, celle aussi de l'intérieure vision :

Mais ses yeux sont grands pour tout prendre (p. 38)
Après la première victoire
Du regard (p. 40)
O mes yeux ce matin grands comme des rivières (p. 41)
Dans la caverne que creusent en nous
Nos avides prunelles (p. 81)
Et fais signe à ceux qui n'ont pas de vue au dedans (p. 121)
Il vient une belle enfant avec des yeux neufs (p. 183)

Le poète parle de la mort avec une familiarité, un abandon, une complaisance qui consternent :

Et tu pensais que cette mort était aisée (p. 85)
J'ai goûté à la fin du monde (p. 92)
Qui aura le courage d'entrer dans cette vie à moitié morte (p. 108)
Je préfère être un jeune mort étendu (p. 143)
Ah ! ce n'est pas la peine qu'on en vive
Quand on en meurt si bien (p. 200)

Nous allons détacher nos membres
et les mettre en rang pour en faire un
inventaire (p. 211)

Destinée inachevée ? ou précocement close, le poète ayant planté déjà dans le jardin de sa jeunesse la fleur noire de la mort ? — Saint-Denys Garneau a laissé dans son écriture beaucoup plus que l'habilité de son langage et le résultat de ses recherches. Il y a semé son souffle, la courbe exacte de son âme, son authenticité la plus entière, toute nouée de ses paradoxes et de ses contradictions. Son monde poétique, sans compromis aucun, déroule les rites et les secrets de son être, et rompt la parole dans une solitude que le poète lui-même ne peut partager. Et c'est peut-être ce qui accorde à ce chant, parfois combien insupportable, l'inépuisable présence de l'incommunicabilité.

RIVAGES D'ALAIN GRANDBOIS[1]

Les pas et les gestes de l'homme traduisent l'interminable cheminement intérieur, celui de l'aventure spirituelle, du voyage de la conscience. L'espace intérieur se construit progressivement, puis surgit dans son propre étonnement et accueille le monde nouveau que le poète anime d'un regard fertile, d'un souffle généreux. Le poète, ce voyageur en lui-même, nous convie au renouvellement des fêtes de la genèse, à l'épiphanie de l'existence réinventée.

Dans un de ses livres, Alain Grandbois écrivait de son héros Louis Jolliet, alors âgé de cinquante-cinq ans : « *Il avait atteint l'âge où la course du*

[1] Ce chapitre reprend, fond et complète des textes publiés dans *La Revue dominicaine* en septembre 1961; dans *Le Devoir* les 20 octobre 1962 et 26 octobre 1963; dans *Maintenant* en octobre 1963. — On peut y ajouter une longue entrevue d'août 1963 avec Grandbois, publiée dans *Littérature du Québec* chez Déom en 1964, et reprise dans *Poésie actuelle*, Déom, 1970.

sang s'établit sur un rythme définitif, où la vie prend des apparences éternelles. » Dès nos premières rencontres, et particulièrement au cours de l'été de 1962, j'avais remarqué chez Grandbois la manifestation d'une permanence, difficile à cerner sans doute, et trouvant dans le manque de définition le fondement même de sa démesure. Permanence du sens de l'humain creusé par la vie, sans apprêts ni colifichets ; permanence du dépouillement des contingences ; permanence encore d'un art doué d'une large respiration, sans théories ni maniérismes, d'un verbe efficace comme un absolu ; permanence enfin d'une incision faite dans le vif de l'existence par l'écriture, et dont la cicatrice ressuscite à chaque nouveau frisson la palpitante blessure.

DES PARADOXES FERTILES

L'architecture de la parole ouvre, dans l'œuvre de Grandbois, une veine d'incantation mystérieuse, et construit une sonorité unique. Un étonnant dialogue s'établit entre les grandes orgues des cataclysmes brutaux et des ouragans sidéraux, et les douces marées de l'instant intime et tendre. Nous pouvons évoquer les symphonies les mieux réussies de Riopelle, quelques remarquables grands tableaux de 1944-48 de Pellan. De son côté, Alain Grandbois a laissé deviner, dans quelques petites aquarelles, les correspondances picturales possibles de son œuvre écrite, et les équivalences souhaitables à ces couleurs qu'il nuance avec tant de bonheur dans sa poésie.

L'œuvre de Grandbois constitue un tissu complexe, composé à la fois de joie de vivre intensément dans la lumière méditerranéenne, et de nostalgique malaise devant le temps qui fuit avec l'énergie vitale. Entre l'ombre et la lumière, une angoisse envahit l'écriture, souligne l'âge du poète[2] et motive l'insatisfaction sentimentale qui établit, derrière les apparences apocalyptiques de la dissolution dernière, une grandiose cohérence, celle de la résurrection miraculeuse dans la parole. Pour Grandbois, écrire consiste justement à promouvoir le sursis de la simple magie d'exister. Les paysages défilent, prestigieux et luxuriants, et envoûtants, pendant qu'un brouillard permanent renfloue la vision émerveillée du temps vers la mort inexorable. L'espace s'écoule, le temps s'horizontalise, et le verbe recommence son cycle en *ce mortel instant d'une fuyante éternité*[3].

L'œuvre se déploie, s'organise, se lie autour de quelques champs de convergence, de quelques signaux irrésistibles. Nous sommes au-delà de la technique, là où le flot, tantôt doux et caressant, tantôt saccadé et vertigineux, déroule son incantation, son alchimie, dans un lyrisme sans cesse en fluctuation entre les minutieuses miniatures et les fresques fracassantes. L'énigme s'ajuste, pour aussitôt glisser dans la vision fulgurante son rayon laser, comme un anneau de lumière aux doigts de la fiancée imaginaire.

LE POÈME « MINUIT »

Le thème de l'amour illustre bien le jeu des paradoxes fertiles dans l'imagerie grandboisienne, l'amour se faisant écran de mort au cinéma des vertiges, et devenant de cette même mort le secret écrin ; l'amour rachète de la mort et nous y livre dans un fatal rituel. L'érotisme atteint, dans cette poésie, une densité cosmique exceptionnelle. Et cette densité, cette rude beauté nous submergent.

(2) En effet, les trois livres de poèmes de Grandbois ont été publiés par un homme âgé de 44, 48 et 57 ans.

(3) Pour des raisons de commodité, chaque citation de poèmes est suivie du numéro de page de l'édition des *Poèmes*, Hexagone, 1963, livre qui reprend les textes de *Les Iles de la Nuit* (1944), *Rivages de l'homme* (1948), *L'étoile pourpre* (1957). (La présente citation provient de la page 25.)

L'insoutenable quête d'un éternel ailleurs conduit le pèlerin vers un Graal ressurgi, vers l'indicible réconciliation, vers une rêverie plus belle encore que le songe le plus parfait : *Oh monde adorablement fini.*

L'imaginaire se dresse de nouveau, dans le croisement éblouissant des régimes nocturne et diurne de la parole, et offre à l'antique fatalité de la mort une clef de l'énigme, celle du souffle nommant, celle de l'étoile qui s'élève, telle un cri beau comme le soleil, au-dessus des rivages trop humains et des îles trop nocturnes.

Depuis la publication de *L'étoile pourpre* en 1957, Grandbois a écrit des poésies et nouvelles, qui dorment et fermentent dans ses cartons. L'artiste les laisse mûrir, se détacher un peu de lui. Prendre de la distance par rapport à l'œuvre ne signifie pas ne plus la voir ou l'aimer, mais signifie bien au contraire la voir et l'aimer différemment, à travers la lentille zoom du temps-mémoire.

Le poème nouveau, intitulé *Minuit*[4] en est un

[4] Alain Grandbois m'a remis en 1963 un poème inédit, écrit l'année précédente, et que j'ai publié dans *Littérature du Québec*, tome 1, Librairie Déom, 1963, en page 50 sous le titre de *Minuit*. En voici le texte:

Notes fragiles d'un piano lointain
Femme fragile et lointaine aussi
Couverte de roses dérisoires
En ces hauts Portiques
Des assises de la Nuit
Le dernier cri
Le cri de demain
N'a pas encore déchiré les espaces
Où sont les loups crachant leur rage
Où les archanges et les ronds nuages
Oh monde adorablement fini
Et ces épaules nacrées de nos compagnes
Et ces baisers meurtriers de minuit
Et ces doigts impurs et délicats
Où le secret odorant et chaud
En cette étoile fixe
Fidèle au rendez-vous
De l'heure implacable
Tout ceci n'importe plus
Ceci et mon amour.

parfait exemple. Ceux qui sont déjà familiers avec les thèmes et les images du poète y retrouveront la perspective noble et généreuse qui les aura déjà impressionnés dans les œuvres précédentes. La structure du poème devient plus tendue, nous assistons à une sorte de réduction à l'essentiel dont l'aspect tragique se vérifie aussi dans le contenu du texte. L'ellipse cingle notre pouvoir de perception, comme dans les pages les plus émouvantes de Grandbois, où l'écriture ne fait qu'évoquer l'environnement-présent, et où l'acte même du poème se réfugie entre les lignes. Et pourtant, en marge de l'opaque cheminement de la parole, quelle évocation transparente, quelle chaleureuse mouvance du langage vers la source vive !

Il faudrait tout ausculter, tout scruter de ces vingt lignes, souligner les télescopages d'images, les ruptures et les resurgences, la respiration et la rythmie, les chocs dont les échos se prolongent, profonds et merveilleux, en cet accueil qui s'ouvre en chacun, hâvre heureux d'amicale confidence. Nous ne pouvons déchirer le voile d'une aussi prestigieuse imagerie, et la réduire malencontreusement à un sens, une interprétation, une recette. La poésie ne s'explique pas, parce qu'elle ne constitue pas un effet. Elle demeure une cause, celle du souffle et du désir, celle de la fraternité et de l'amour.

UNE VIE DE VOYAGES ET DE LIVRES

Dans une conférence qu'il donnait en 1953, Alain Grandbois résumait lui-même sa vie comme ayant été tissée au gré des aventures multiples d'un grand voyageur, curieux et dilettante, intuitif et flâneur, fort intéressé aux hommes et aux villes, qui découvre et redécouvre continuellement dans la procession des dépaysements, une nouvelle stature à l'homme. Alain Grandbois ne s'exprime pas autrement plus de quinze ans plus tard, alors que l'usure de la vie l'isole et l'attache au quai.

Le 25 mai 1900, à Saint-Casimir de Portneuf, près de Québec, naît Alain Grandbois, dans une famille aisée où l'on s'intéresse beaucoup à la littérature et aux voyages. Dès 1918, le jeune homme occupe ses vacances à parcourir le Canada et les Etats-Unis. En 1921, un voyage en Europe lui révèle les séductions de l'Italie. En 1925, après avoir obtenu une licence en droit de l'Université Laval de Québec, Alain Grandbois retourne en Europe, et la grande tournée commence, qui se poursuivra jusqu'en 1939 grâce à un héritage familial dont le jeune homme ne conçoit plus logique et fructueux emploi : s'ouvrent sous l'insatiable curiosité du voyageur Moscou et l'Afrique du Nord, l'Inde et le Proche-Orient, la Chine et le Japon, ce périple étant ponctué de fréquentes escales à Paris ; Port-Cros, en Méditerranée, devient la halte préférée où l'aventurier fait le point et se retrouve un peu lui-même.

Le premier livre de Grandbois est publié à Paris en 1933. *Né à Québec* connaît quatre éditions successives en France, chez Albert Messein, avant d'être inclus au catalogue de la collection du Nénuphar, chez Fides, en 1947. La qualité d'écriture de ce « récit », comme le désigne le sous-titre, de la vie de Louis Jolliet en fait une impressionnante épopée poétique : « Et Jolliet aperçut, au bout du couloir, un grand cercle lumineux. Ses yeux battirent. Il se précipita vers le jour. Et il vit à ses pieds la blancheur pâle du Ouiskonsing. »

Quelques mois après la première édition à Paris de *Né à Québec*, Alain Grandbois publie à Hankéou, en Chine, sept *Poèmes*, à 150 exemplaires sur beau papier, exemplaires qui furent à peu près tous perdus dans le naufrage d'une jonque. Ces poèmes ont été repris, avec quelques variantes, dans *Les îles de la nuit,* en mai 1944 ; ce livre, orné de cinq dessins originaux d'Alfred Pellan, marque le tournant décisif de notre poésie du Québec et souligne une heureuse rencontre entre deux grands innovateurs de ces rudes années.

En 1942, Alain Grandbois publiait *Les Voyages de Marco Polo.* N'était-il pas normal que le grand voyageur de Venise fascinât le bourlingueur canadien et trouvât du même coup son poète ? — Car peu d'écrivains ont donné aux éblouissantes aventures de Marco Polo autant de couleurs et de musique. En 1944 paraissent les nouvelles d'*Avant le chaos,* qui ne laissent pas d'étonner par l'équation paradoxale établie entre l'admirable qualité d'écriture et le stress des drames racontés. La source de cette esthétique, qui est aussi une éthique, se trouve déjà dans les livres précédents, et désormais l'œuvre de Grandbois se nourrira à cette double dimension de la condition humaine : la magie de l'évocation poétique, et la dramaturgie de la fin de tout.

En 1948, *Rivages de l'homme* et en 1951, *Visages du Monde* ; en 1957, *L'étoile pourpre.* Et en 1963, la réédition en un seul livre des trois recueils de *Poèmes : Les îles de la nuit, Rivages de l'homme, L'étoile pourpre.* D'autres textes demeurent inédits, quelques liasses de poèmes et de nouvelles, que l'auteur se voit empêché de mettre au point par la maladie et l'usure impitoyable qu'il s'est infligée dans les années fiévreuses de ses voyages des années 1925-1939.

En 1955, une bourse lui permet de faire un nouveau séjour en Europe. De 1956 à 1960, le poète ne quitte à peu près pas le village de Mont-Rolland, conquis qu'il se trouve par les Laurentides, la paix des bois, les silences de la neige, la secrète profondeur des conifères. Il y peint, écrit, et vit en toute simplicité et intériorité. En 1960-61, une nouvelle bourse lui permet de faire un séjour en Méditerranée, sur la Côte, à Vichy, à Port-Cros, en Italie, et un peu à Paris.

En décembre 1961, et pour quelques années, Alain Grandbois est attaché au Musée de Québec. Et en 1965, c'est la retraite, rendue pénible par la maladie et quelques déplorables accidents. Le grand voyage intérieur ne s'en poursuit pas moins, auquel les randonnées géographiques ne constituaient que prétextes, qu'occasions. Trouvant ses échos aux quatre coins de l'univers, l'écriture d'Alain Grandbois tresse les coordonnées du plus profond voyage que l'homme puisse faire en lui-même, celui de la plus altière poésie.

ESQUISSE THÉMATIQUE

L'œuvre de Grandbois nous convie à une sorte de biologie des songes, qui agrandit le monde de la perception et lui accorde une grandiose, une somptueuse vastitude, où règne la parole dans une éloquence d'une noblesse et d'une aridité qui nous marquent. Les grands thèmes de Grandbois, les courants les plus secrets et les mouvements les plus profonds de son œuvre, sont déjà indiqués dans les titres des livres, des poèmes et des nouvelles, qui soulignent on ne peut mieux la magie, la liturgie à la fois cosmique et intime de sa « tonalité » : les îles, la nuit, les rivages, les voyages, l'étoile, les chaos hallucinants de la création sans cesse renaissante de ses propres ruines, le frisson fragile de l'instant quotidien.

La grande symphonie des *Poèmes* nous éblouit, sans nous étonner, à chaque nouvelle lecture. Nous savions déjà grandiose et efficace cette parole féconde, et l'occasion d'en reprendre en un seul souffle une nouvelle respiration lui accorde plus de prestige et de portée. Parcourir les *Poèmes* impose une image mentale et rythmique riche de résonance intérieure et de densité charnelle, génératrice de multiples émotions dont il serait vain de tenter une comptabilité.

UNE SOLITUDE BIEN PARTAGÉE

Comme souvent, comme trop souvent peut-être dans la littérature québécoise, le thème de la solitude trouve des accents privilégiés : mais la solitude grandboisienne n'est pas entachée de cette complaisance morbide qui alourdit l'œuvre de certains de nos écrivains ; bien au contraire, cette solitude se nomme pour se mieux dépasser, comme dans l'œuvre admirable du peintre Jean-Paul Lemieux :

« *Et vos doigts tièdes sur nos poitrines*
aveugles
N'ont créé pour notre solitude qu'une
solitude d'acier (p. 12)
« *La nuit m'a enseigné la cloison de ton*
visage (p. 19)
« *Cherchant en vain au bout de nos doigts*
crispés
Ce mortel instant d'une fuyante éternité
(p. 25)
« *Et tu me laissais seul avec une âme perdue*
(p. 87)
« *Chacun sans issue*
Très bien muré
Dans son cachot dévorant (p. 111)
« *Je retrouvais mon propre fantôme* » (p. 173).

Mais aussi :

« *Marchons au pas des hommes* (p. 109)
« *Notre solitude plongeait*
Aux premiers limons de la terre (p. 144)
« *Ton sommeil protège mon sommeil* (p. 178)
« *Ma solitude me glace* (p. 204)
« *Je sais toute la plainte du monde* (p. 217)
« *Nous plongeons à la naissance du monde*
(p. 239)

« *Nous avions survécu par miracle*
Aux démons des destructions » (p. 246).

Voyageur insatisfait qui cherche son âme aux mille horizons, Alain Grandbois affiche un esprit affamé de tout, à qui « il aurait fallu dix existences ». « *Ma vie nourrit autour de moi dix mille vies* » (p. 124). Mais le contrepoint se développe, paradoxalement, après de trop fidèles désillusions : « *Peut-être ne suis-je pas encore guéri de la peine de continuer de vivre* » (p. 226). Il a lu infatigablement, et de tout : les historiens et mémorialistes, les moralistes et les poètes, et la Bible, « livre secret, magique, d'une poésie inépuisable ». De son propre aveu, il a été attiré par la peinture, la musique, la médecine, la philosophie, le voyage d'exploration, la boxe ; mais toujours l'amitié et l'amour lui paraissaient les escales enchanteresses des veillées définitives.

LA HANTISE DE LA MORT ET DU TEMPS

On peut voir que c'est dans l'accidentelle et passagère amitié, dans l'amour à apprivoiser et à refaire chaque jour, que s'enracine la forte et obsédante hantise de la mort, que Grandbois fuit ou recherche, on ne sait trop, dans ses incorrigibles départs géographiques comme dans ses voyages imaginaires en compagnie de Marco Polo ou de Jolliet : en multipliant les voyages, le poète se forge une âme cosmopolite et atteint une vie cosmique, en quelque sorte.

Les voyages de Grandbois, malgré leurs nombreuses péripéties intercontinentales dont on perd souvent le parcours, sont au fond et avant tout un voyage intérieur, une marche interminable à l'amour. Si Rina Lasnier a pu parler d'une étrange « présence de l'absence », on pourrait avec Grandbois souligner une certaine absence de la présence, un élément intégrant dont on souffre de l'absence, une sorte de présence en creux, d'où l'insatisfaction fondamentale qui constitue justement l'angoisse dissolvante de notre poète. On pourrait ici invoquer l'Absolu pour combler ce gouffre vertigineux, et un Dieu-Amour répondrait assez bien à la quête métaphysique de Grandbois, cet Etre ponctuant aux détours les plus sombres une aventure poétique rendue à la limite d'une mystique rigoureusement humaine :

« *Et s'élève soudain*
Dans le pur azur
Muet comme l'éternité
Le Chant des Absolus (p. 212)

Le poète taille et brode son monde à sa dimension et l'univers de Grandbois montre l'amour qui se cherche des visages, des oasis. Les paysages défilent, prestigieux et luxuriants, envoûtants et magiques, mais un brouillard intérieur filtre la vision émerveillée, celui de la fuite du temps vers la mort inexorable. On peut conquérir l'espace, mais les jours et les années s'y engouffrent, impitoyablement. La vie, le voyage, deviennent quête de « *ce mortel instant d'une fuyante éternité* » (p. 25).

Le vocabulaire[5] poétique de Grandbois, avant tout organique, gravite autour de ces quelques « signaux » : île, nuit, rivage, étoile, voyage, mer, silence, espace, chaos, fuite, qui tissent des trames variées à l'infini, mais dont les racines plon-

[5] Grâce aux bons soins de Jean-A. Beaudet, un *Dictionnaire du vocabulaire d'Alain Grandbois* a été établi, au Centre de calcul de l'Université de Montréal en 1966. Ainsi, les mots les plus fréquemment employés dans *Les îles de la nuit* seraient : nuit, être, main, ombre, savoir, voir, œil, silence, étoile, seul, cœur, jour, heure, pas, songe, mort ; la palette du peintre va du blanc au noir, en passant par les vert et or, rouge et bleu ; des animaux comme mouettes et colombes, évitent les serpents et volent entre les cyprès et les fleurs.

gent toujours aux mêmes sources premières et dernières, à la même dualité ultime : l'amour, la mort. L'amour chez Grandbois peut être compris comme une force d'anti-destin, un peu comme l'art chez Malraux, le jeu chez Saint-Denys Garneau, le songe chez Anne Hébert : au-delà même du « *gel des étoiles décédées* » et des « *crépuscules perdus* » (p. 120), le poète reconstruit son monde sur un devenir jamais dompté :

« *Elle venait comme si le temps*
Ne chassait pas ses pieds nus
Elle venait avec le sourire
Des hautes notes de l'octave (p. 119)

Ces lignes, extraites du poème intitulé *Le Tribunal*, se retrouvent avec quelques variantes seulement dans *Le Sourire* :

« *Elle venait comme si le temps*
Ne poursuivait pas ses talons nus
Elle venait avec un sourire
Des plus hautes notes de l'octave (p. 229)

Le surréalisme de Grandbois, ici transparent, lui est toutefois personnel au point de dépasser le niveau d'une technique inventive, comme celle d'Eluard : son vers, polymorphe, possède un rythme organique, une structure intime, dont la souplesse varie, de la courte et sèche nomination descriptive au grand verset généreux, en passant par la percussion d'une rapide répétition et par l'accidentelle rime d'une heureuse juxtaposition. Une musicalité, tantôt douce et caressante, tantôt saccadée et vertigineuse, imprègne ses paysages incantatoires d'une alchimie magique où la part de l'automatisme disparaît sous la pression lyrique d'une vie intérieure hantée d'expériences lancinantes. L'imagerie grandboisienne se trouve condensée dans les extraits du poème suivant, dans ses articulations saccadées et ses miniatures énigmatiques, aussi bien que dans ses glissades ombreuses et ses orchestrations pointillistes :

« *Long murmure étonnant ô pluie*
O solitude ô faiblesse des doigts
Tremblants de désarroi
Chemins irréductibles
Mobilité de l'eau
Ma vie m'échappe ma vie nourrit
Autour de moi dix mille vies
O beaux soirs d'or
Il y aura demain mon éternelle nuit...

Je n'ai rien vu je n'ai rien goûté
Je n'ai rien souffert
Et soudain l'âge bondit sur moi comme une panthère noire
Ah je naviguerai demain sur ces bateaux perdus
Larguant leurs voiles rouges pour des mers inconsidérées
Avec elle au bronze de mon bras droit
Avec elle comme le coffret des bijoux redoutables
Je vaincrai demain la nuit et la pluie
Car la mort n'est qu'une toute petite chose glacée
Qui n'a aucune sorte d'importance
Je lui tendrai la main
Mais demain seulement
Demain
Mes mains pleines
D'une extraordinaire douceur
(pp. 124 à 128).

RIVAGES DE L'AMOUR

L'amour chez Alain Grandbois ne se sépare pas de l'idée du départ, de l'aventure, de la fuite, de la pénible condition humaine où le temps efface les paysages nouveaux à peine découverts. Dans le poème V des *Iles de la Nuit* (1944), nous trouvons déjà, derrière le prestige magique d'un poète inspiré, ce grand thème désormais familier de l'amour, écran de mort avant d'être son secret écrin :

« *N'étions-nous pas partis lestés d'étoiles étincelantes*
Nos sourires dans nos gorges comme des anneaux de fiançailles
Nos doigts comme des oiseaux tremblants
Nos yeux vissés plus loin que les éternités
N'étions-nous pas partis comme ces voiles pour des mers indéfinies (p. 27)

Ce premier départ d'amoureux est pourtant déjà chargé d'une fatalité amère et cruelle, implicite et inévitable comme la mort :

« *Et ma souffrance vivait des serpents de ton prochain oubli*
Guettant l'heure du couteau de ton absence
Guettant l'ombre où se perdrait ton ombre
Guettant les pitoyables sourires de la première trahison (p. 28)

L'amour déçu, l'amour impossible, l'amour à venir, évasion close et décevante, fausse porte secrète nous livrant à de plus obscurs ennemis, se confond avec le mal qu'on essaie vainement de fuir, et que l'on porte si profondément en soi : la mort.

« *Je ne veux plus qu'enfoncer ma nuque et mes doigts dans ce délire*
Où veille le froid brûlant de la dernière solitude (p. 29)

Dans le poème *XV*, le même cycle reprend, avec plus d'insistance :

« *O toi pareille à un rêve déjà perdu*
O toi pareille à une fiancée déjà morte
O toi mortel instant de l'éternel fleuve
Laisse-moi seulement fermer mes yeux
Pour ne pas voir dans l'épaisseur des ombres
Lentement s'entrouvrir et tourner
Les lourdes portes de l'oubli (p. 49)

Quelques pages plus loin, le poète définit l'amour : « *Cet invisible et tendre feu plus vivant que le sang* » (p. 55), qui apparaît dans toute sa splendeur au moment où

« *Le rêve s'empare de son doux visage*
de morte
Un miraculeux brouillard l'élève et la
transporte
Au-delà des régions dévorées par le temps
(p. 55)

L'amour, dont la fonction idéale d'anti-destin est de repousser l'attaque corrosive de la mort, se voit enchaîné au déroulement inexorable du temps vers la mort, vers « *ce grand rire de pierre inattaquable* » (p. 58). Malgré les départs manqués et les routes interdites, malgré l'acier glacial des visages inconnus et la torturante solitude des grandes foules cosmopolites. Les premières déceptions érotiques ne semblent jamais définitives, et l'on cherche bien au-delà de nouvelles oasis, non sans appréhension, car un jour peut venir où la métamorphose fantastique croulera dans les sables assoiffés d'un désert trop lucide :

« *Nos mains tremblantes rassemblent leurs*
doigts
Pour ces enfances évanouies derrière les
anneaux magiques des fontaines
Pour ces désespoirs rongeant comme un
vigilant cancer nos cœurs désertés
Pour ces souvenirs criant dans des
brouillards sans écho
Pour cette indifférence minérale des
mille larmes oubliées
Pour ces espaces de l'ombre conduisant
vers la solitude des néants
Ah nos faibles doigts se pressent
frénétiquement
Tentant de rejoindre le bout du monde
des rêves

Tentant d'appareiller les caravelles vers les îles miraculeuses
Tentant de ressusciter les fantômes des cathédrales défuntes
Tentant d'élever dans le plus profond silence l'arche de douceur...

En vain ce grand songe étrange de tes deux mains résignées
En vain le tertre vert autour de l'arbre unique
Seul ton mensonge m'enfonce dans la nuit (pp. 68 à 70)

L'amour semble souvent se confondre avec une illusion fugace, un mirage vite dissipé, après les enfilades de mensonges et les multiples nuits vides. Et nous n'en sommes qu'aux premiers poèmes du poète de l'amour absent : « *Parmi mon désespoir je croyais encore à l'espérance* » (p. 90). Son infatigable voyage demeure une vaste quête d'amour, et sur les rivages déserts où se refusent de nouvelles déceptions, les anciennes seront invoquées avec une nostalgie peut-être un peu masochiste : « *Je fais appel à vous de toutes mes blessures ouvertes* » (p. 32).

Dans le poème qui constitue un des sommets des *Iles de la Nuit*, *Ah toutes ces rues*, l'aventure interminable et lourde de l'être itinérant déroule une fois de plus ses envoûtantes volutes, avec une solennité et une richesse polyphonique grandioses :

« *Mes pas dans la pluie poursuivaient l'usure d'une lueur mystérieusement chimérique...*
Par-dessus les toits noyés d'ombre une seule étoile me suivait pas à pas...
Mais pourquoi pourquoi l'aube jamais ne se levait pour moi...
Et je trouvais et je poursuivais d'autres recherches illusoires...

Je creusais sous la racine des arbres et sous la
pesanteur des pierres mon chemin perdu
Je criais les mots fatidiques et elle venait
Elle venait du fond de mon songe
Du fond du songe de ma nuit
Je l'aimais et elle ne m'aimait pas
Je marchais je marchais je tentais d'atteindre
le fond de ma nuit
Je tentais d'atteindre ce formidable secret
du bout de la nuit
Et cette aube légendaire des autres
Et ce cri préparé pour chacun des hommes...
Ah je poursuivais l'interminable route
Les villes derrière moi et les hommes
sous la pluie
Les cercles des réverbères continuaient
leur fastidieuse géométrie (pp. 74 à 80).

Il est difficile d'écarter le voile de ces somptueuses images, pour toucher le fond du problème. Si les autres trouvent leur bonheur dans l'amour, pourquoi, pourquoi le destin me refuse-t-il obstinément la même chose, qui m'est due en toute justice : « *Mais pourquoi pourquoi l'aube jamais ne se levait pour moi.* » Cette destinée exceptionnelle développe dans certaines âmes plus attentives le phénomène, souvent douloureux, de l'impression poétique, et à une escale du voyage, on fera mine de fermer *L'Armoire aux sortilèges* :

« *Je vois ces rivages aux rives inviolées...*
J'ai trop aimé le regard extraordinairement
fixe de l'amour pour ne pas regretter
l'amour
Mais toi ô toi je t'ai pourtant vue marcher
sur la mer...
Et il ne restait plus que le grand calme
fraternel des sept mers
Comme le plus mortel tombeau (pp. 94 à 96).

Dans *Rivages de l'homme* (1948), le ton du

poète atteint un registre plus cosmique, le verbe plonge dans des couches d'inspiration plus larges, mais moins vertigineuses et immédiates peut-être, et le voyageur s'étourdit dans ses virevoltes, se durcit dans ses gestes presque indifférents :

« *Pour faire oublier la noyade*
De ce qui restait de nos morts
Nous aurions pu tenter alors
La calme angoisse de la nuit
Le cristal de la solitude
L'innocence de l'immobilité
Le secret refuge des miroirs noirs (p. 113)

Les pièges des mots ne peuvent contenir cette quête laborieuse de l'amour obsédant, souvent confondu avec la mort, dans des pages d'une densité qui fait mal, malgré la forte impression de tendresses d'alcôves, toutes pénétrées d'une sensualité lourdement charnelle, bien concrète et toute palpitante d'une indicible chaleur :

« *Plus bas encore mon amour taisons-nous*
Ah plus bas encore mon cher amour
Ces choses doivent être murmurées
Comme entre deux mourants...
Taisons-nous oublions tout
Noyons les mots magiques
Préparons nos tendres cendres
Pour le grand silence inexorable (pp. 145-146)

Ainsi la mort et l'amour sont indissociables, et l'on retarde volontiers la première pour laisser au second une autre et peut-être ultime chance :

« *Ma mort je la repousse jusqu'à demain*
Je la repousse et je la refuse et je la nie...
Car la mort n'est qu'une toute petite
chose glacée
Je lui tendrai demain mais demain
seulement... (pp. 25 et 128).

Jusqu'à la fin de ce deuxième livre de poèmes, que l'on pourrait aussi bien nommer *Rivages de la femme* ou *Rivages de l'amour*, la même plainte s'élèvera, recommencera, trouvera de nouveaux accents, de nouvelles modulations, de nouveaux cheminements secrets :

« *Je la cherchais je l'atteignais*
J'allais la saisir elle disparaissait
Elle jouait dans l'ombre de son ombre...
Parmi les espaces des astres décédés...

Ni le regard angoissé
Des femmes trop tôt négligées
Nourrissant la revendication
D'un autre bonheur illusoire
O corps délivrés sans traces
(pp. 148, 150, 158).

L'Etoile pourpre (1957) continue, en la sublimant, la quête éternelle de l'amour sur les routes internationales qui sillonnent les mers et les continents pour tous, mais qui atteignent les obscurs treillis des étoiles pour les poètes : le poète privilégié réussit même à apprivoiser son « étoile pourpre », et les « *Chutes dévastatrices des métamorphoses* » (p. 209) semblent avoir épuisé, du moins en partie, leurs séismes lugubres, sans pour autant que les prestiges de l'imagerie n'en souffrent :

« *Mon amour gémit comme un piano nostalgique*
Je vois ma mort ta mort
Nos lèvres les goûtent avec usure...
Je traversais les chambres vides de la vie...
Chaque matin l'oubli
Faisait de moi un homme neuf
Je ne comptais plus mes délires...
Je vois de longues avenues piétinées d'amour...
L'angoisse crie du fond des millénaires
Poussières d'argile mêlées d'os et d'oubli...
Aux frontières de l'aube (pp. 208 à 212).

L'amour impossible d'Alain Grandbois et sa tentative éperdue de l'emporter dans l'ardente course de la vie contre le temps avaient déjà trouvé leurs accents les plus dramatiques dans *Rivages de l'homme* :

« *Je la cherchais encore au dernier feu*
Du premier astre éteint
Je soulevais une à une
Les couches brûlées des millénaires
Je m'enfonçais au fond des âges
Les plus fatalement reculés
Je niais le temps, j'assassinais le temps
(p. 149)

Mais les voyages ne sont que mirages et illusions, qui ne brisent pas la cage de verre, au-delà des vaines agitations :

« *Chacun sans issue*
Très bien muré dans son cachot dévorant
(p. 111)

Sénèque le savait, il y a bien des siècles : « *Fuge teipsum* ». Mais il s'agit d'une catégorie d'expériences rigoureusement personnelles, et celles de Grandbois possèdent un accent particulièrement dense et cursif :

« *Je refuse l'émouvante évasion*
D'une aube libératrice...

Je suis plus dur
Que tout l'acier du monde
Je ne veux plus rien entendre (pp. 112 et 111)

Puisqu'il faut parfois employer des mots difficiles pour exprimer des choses nébuleuses, soulignons au passage cette rigoureuse incommunicabilité métaphysique de la personne humaine, doublement enfermée et scellée dans son être et dans son existence, dans son complexe corps-esprit et dans son contexte temps-espace, qui empêche d'atteindre la destinée même de l'amour, soit la fusion intégrale de deux êtres, et que notre poète transpose ainsi :

« *Je suis le veuf d'une invisible terre*
La nuit m'a enseigné la cloison de ton visage (p. 19)

DOIGTS, MAINS, BRAS

Pour Grandbois, l'amour apparaît souvent comme des bras tendus, impossibles ligatures, évanescentes apparitions, aux mains hantées d'amours sublimes et aux doigts incapables d'accrocher des rivages toujours fuyants :

« *Vos bras d'hier pleins des bras d'aujourd'hui*
Et vos doigts tièdes sur nos poitrines aveugles
Pourquoi vos mains de faible assassin (pp. 12-13)

« *Nos doigts comme des oiseaux tremblants...*
Nos mains tremblantes rassemblent leurs doigts...
Ah si nos faibles doigts parmi ces cyclones de malheur...
En vain nos tendres doigts suppliant
En vain la neige de tes doigts comme un doux végétal
En vain l'innocence de nos bras repliés sur l'oubli...
En vain ce grand songe étrange de tes deux mains résignées (pp. 68 à 70)

« *Des gouttes au creux de ta main comme une blessure fraîche*
Et tes bras qui t'entourent d'éclairs nonchalants (p. 48)

« *O surtout laisse nos mains partager le dernier pain*
Laisse à nos doigts leur innocence d'enfant (p. 90)

« *Ils comptaient déjà leurs doigts pour d'invraisemblables caresses...*
Avec tes deux mains devant toi comme les deux colombes de l'Arche (pp. 79 et 96)

Avant de poursuivre cet inventaire bien incomplet d'une simple association poétique, rappelons que chaque poète possède ainsi son répertoire de mots et d'images qui constituent les éléments de base, les matériaux coutumiers de son monde personnel, intimement intégrés, et se correspondant spontanément dans un subtil et mystérieux mécanisme polarisant, de sorte qu'en fait, le monde d'un poète gravite sur quelques lignes de force, ses thèmes, autour desquels se développent les champs magnétiques du vocabulaire apprivoisé, et cristallisent les enchantements des images familières :

« *O magie des mains lasses*
Tissée par la soie de ses doigts...
Aux justes secrets de nos doigts
Et ses bras d'éclairs sourds... (pp. 141 et 146)

« *L'étoile pourpre des espaces*
Glisse aux bras lisses de mes rêves
Tour dressée aux mains du silence
(pp. 172-173)

Les bras atteignent parfois une polyvalence presque alchimique :

« *Dressent les miroirs des bras ouverts*
« *Même le sourire de clarté de ses deux bras ouverts* (pp. 131 et 134)

MIRACULEUSEMENT SURVIVRE

Alain Grandbois a tenté de délaisser les îles de sa nuit pour atteindre à des rivages humains plus solides et moins mystérieux : mais le poète, après avoir connu la liberté et la souplesse des archipels secrets, ne sait plus la paix finale d'un rivage immense, et le continent aussi devient à la limite une île dans le continuel départ du pèlerin infatigable, qui tend vers des escales plus fugitives et subtiles, celles des étoiles. L'impossible quête d'un éternel ailleurs conduit très loin en soi-même :

« *Tapis aux frontières*
Du sommeil définitif
(*Mercure de France*, mai 1958).

Le poète pourra enfin invoquer, dans une de ses dernières pages, le hâvre définitif et fixe, au-delà du temps et de l'espace :

« *Ah Celui des navigations crépusculaires*
Celui du fol égarement des continents
Celui des grands carrefours obscurs de la terre
Celui du silence ténébreux des néants
Que nul ne l'accompagne aux racines du Feu
(inédit, 1958).

Cette union paradoxale de l'amour et de la mort, qui balise toujours dramatiquement les routes du poète, cristallise à quelques reprises dans l'œuvre grandboisienne, en des expressions d'une densité vertigineuse, qui rejoignent le Nerval du poème tant aimé de notre écrivain : « Où sont nos amoureuses ? Elles sont au tombeau... » :

« *O toi pareille à une fiancée déjà morte...*
« *O Belle au yeux morts...*
« *Elle était belle et morte...*
« *O belles Mortes adorées...*
« *Car elle est ma première Morte...*
« *Tu préparais ma mort avec des doigts minutieux* (pp. 49, 114, 135, 123, 226, 221)

Et enfin, dans une noce ultime, on oublie les sombres îles des plus sombres nuits, loin au-delà des rivages de l'amour impossible, plus loin même que l'étoile absente et fiévreuse, dans une finale réconciliation de la Belle qui est morte et du poète mort aussi : l'amour se dénoue, comme un trop long voyage rêvé : « *Je vois ma mort ta mort* » (p. 209), cette mort apprivoisée et attendue depuis très longtemps, et que le poète nommait parfois l'amour, s'imaginant fuir ou dompter, dans la conquête de l'espace, l'irréductible fatalité du temps. L'illusion du poète forme une rêverie plus belle et plus noble que toute autre réalité, jaillissant de cet imaginaire toujours neuf et vierge, même si l'antique destin doit fondre sur l'ombre trouble de la grandeur exigeante d'un homme d'ailleurs, signature de sang dans une île perdue qui dialogue avec le clignotement obscur d'une étoile, trop loin de nos rivages trop humains : « *Mon univers sera englouti avec moi* » (p. 93).

Le livre des *Poèmes* fait renaître sans cesse les grands et fertiles paradoxes qui animent l'œuvre de Grandbois, comme une eau de vie qui réchauffe et brûle en même temps. La dialectique de la vie et de la mort, du nageur et du nagé, de la beauté et du chaos, se conjugue dans un même verbe, celui qui métamorphose l'univers et ouvre l'alchimie de l'imaginaire, dans une biologie des songes condensée par les dernières lignes de ces admirables *Poèmes* :

« *Chacun de nous*
Veuf deux ou trois fois
De deux ou trois blessures mortelles
Nous avions survécu par miracle
Aux démons des destructions » (p. 246)

SYNDROMES DE LA POÉSIE QUÉBÉCOISE ACTUELLE[1]

Il se trouve des œuvres qui se replient dans la gangue opaque du matériau, ne révélant leur entité qu'à travers une patiente initiation ; d'autres œuvres affichent au contraire leur agressive ardeur et embouchent les trompettes en proférant souvent plus de bruit que de musique ; certaines œuvres convoquent à la Fête, proposent une joyeuse sarabande dont la sensualité ruisselle sur les parois de la forme ; quelques œuvres enfin ébranlent les piliers de l'émotion et obligent l'homme à faire face à son destin, sans possibilité de détour ou de retour, de sursis ou de merci.

De trop rares œuvres réussissent à établir une synthèse de ces diverses modalités de manifestation et engagent, entre le tacite et le manifeste, entre la lascivité et la gravité, entre l'ordre et le

[1] Ce texte a été préparé pour un colloque « Poésie et critique » et a été lu à l'université d'Edmonton le 20 novembre 1969.

chaos, entre Apollon et Dionysos, de fertiles réconciliations qui permettent aux oppositions de se conjuguer en d'organiques paradoxes. Ces œuvres privilégiées, dont la dramaturgie constitue l'assise principale, retiennent de la réalité la pulsation de l'instant et l'haleine de l'instinct, sachant injecter à travers la fragilité de la durée la persistance sans cesse renouvelée de l'étendue. La dramaturgie de ces trop rares œuvres, dont Alain Grandbois a fourni un remarquable exemplaire dans la poésie québécoise, affranchit la libre circulation de l'émotion, en déploie toute la panoplie et fait surgir une sorte d'environnement, beaucoup plus affectif que physique, qui évite les écueils de la superficialité strictement sensorielle, dans laquelle toute une esthétique récente s'engouffre, en accordant une importance exagérée à l'impact physiologique stimulé par la stricte matérialité de certains objets plus ou moins agresseurs. — La qualité fondamentale des œuvres qui nous touchent particulièrement dégage le dynamisme profond et plus vaste de la sensibilité conjuguée des relations entre l'âme et le corps, et révèle ce qu'on pourrait se résigner à appeler la respiration, le souffle de l'être parfaitement investi dans son existence.

La littérature, et il est nécessaire de le rappeler ici pour justifier les stratifications variées du langage, circule à des niveaux fort divers, et j'en emprunte aussitôt un autre pour esquisser une rapide évocation de l'état présent de la poésie au Québec. — Je refuse d'abord les appellations comme « littérature canadienne-française, française du Québec, canadienne d'expression française » et autres semblables, étant donné que le courant social, psychologique, mental et artistique des dix dernières années trouve sa polarisation profonde dans l'entreprise acharnée de déceler et de structurer un processus d'identification serrée de l'être-québécois, et que la vérification concrète d'une identité s'établit, aussi bien dans la perspective linguistique que dans la perspective conceptuelle, par l'efficacité de sa nomination en un seul mot. (Si on oppose à cette remarque la théorie qu'une littérature se nomme d'après sa langue, je réponds seulement par les exemples, assez accablants, des littératures américaine, belge et mexicaine.)

Une théorie des stratifications unitaires de toute littérature nous entraînerait bien sûr trop loin, mais nous pouvons au moins énumérer l'unité géographique, l'unité politique, l'unité historique, l'unité ethnique, l'unité linguistique, l'unité culturelle, l'unité économique, l'unité sociale et l'unité mentale qui accordent à l'*homo-quebecoisis* (qu'on me pardonne ce néologisme opératoire) une convergence suffisante pour qu'il finisse par se résigner au *status erectus* lui permettant de se nommer par son nom, en un seul mot, *Québécois.*

Ces considérations plus réalistes et quotidiennes en éveillent deux autres, que je mentionne seulement. La première s'attache à souligner le fait qu'écrire constitue une activité éminemment et littéralement manuelle, un travail énervant, épuisant, beaucoup plus rude sur la machine humaine que, par exemples, l'acte de sculpter ou de peindre, l'acte de composer ou d'exécuter de la musique, et ceci d'autant plus que l'écrivain, au Québec comme au Canada, se livre à son geste, à sa gesticulation le soir ou les fins de semaine, à « temps perdu » selon la trop juste expression courante, et est peut-être le seul citoyen nord-américain pour qui les vacances sont employées à commencer ou terminer un livre ou un article.

La deuxième considération voudrait corriger cette vision, presque physiologique, ou du moins pragmatique de l'écriture littéraire, dont la liturgie ou la mythologie sont ainsi quelque peu vilipendées, en reconnaissant par ailleurs au texte une valeur de placement à longue portée, une efficacité profonde qui se mesure souvent en proportion inverse de son utilisabilité immédiate, dans des coordonnées et répercussions politiques ou sociales, éthiques ou esthétiques.

Ces précautions oratoires me permettent d'aborder maintenant, et avec une crudité qu'on comprendra, ce que j'appellerais les syndromes de la poésie québécoise actuelle ; n'ayant aucun goût pour la charogne ou l'égout, je laisse à d'autres le plaisir de fossoyer les macchabées et de pratiquer les autopsies de circonstances. — Les syndromes me procurent suffisamment de jouissance critique, étant compris comme l'ensemble plus ou moins bien défini de symptômes observés dans certains états pathologiques, mais sans pour autant nettement déterminer les causes et la nature exacte de la maladie.

Plutôt que de maladie, je préfère d'ailleurs parler du malaise, du mal-à-l'aise de la poésie québécoise actuelle, ce qui s'explique d'abord par le fait que cette poésie est vivante, et plus que vivante, dynamique, agitée, énervée, en pleine crise de croissance et de mûrissement, de contestation et de structuration. Ce malaise devient, dans son ambiance de crise, et donc dans son climat littéralement critique (le thème de ce colloque d'Edmonton n'est-il pas justement « Poésie et critique » ?), un heureux et fertile humus à bien analyser et exploiter.

Mais pour ce faire, il faudrait tout dire. N'en ayant ni les moyens ni l'ambition, je prends envers la réalité poétique québécoise actuelle d'injustes mesures et en propose un sommaire inventaire.

Pendant les six ou sept dernières années (1962-69), une préoccupation a établi la convergence vers une recherche d'identité, parfois farouche, parfois violente, et le thème du pays, d'abord souhaitable et même nécessaire, tend à se réduire à une pacotille de quincaillerie, à un réflexe conditionné, à une clicherie de tics nerveux. Par delà le thème du pays, le regard poétique tend à faire surgir, quitte à l'inventer de toute pièce, la conscience agissante de l'être-québécois, injecté dans son réalisme le plus terre-à-terre et le plus quotidien, et dont on interprète souvent mal l'orientation et l'ambition : politisé beaucoup plus que politique, le Québécois émerge de son manque de définition en prenant des airs de séparatiste, alors qu'il cherche seulement à se réunir à lui-même ; et pour ce faire, il a peut-être encore un peu besoin de solitude, mais cette fois d'une solitude qui ne soit plus seulement creux et désolation, mais bien plutôt la découverte réconfortante de savoir qu'on peut fort bien ne plus s'ennuyer avec soi-même, et qu'on n'a plus besoin d'aller chercher à l'extérieur ses raisons de vivre ou de mourir.

La conscience agissante de l'être-québécois entreprend depuis quelques années de se défaire d'un certain nombre de complexes encombrants, dont le principal est celui du colonialisme. Le colonialisme, faut-il le rappeler, trouve sa source dans la conviction que partagent certains êtres de leurs carences et qui les font s'imposer eux-mêmes comme colonisés, suppliant d'autres êtres, mieux pourvus ou du moins plus exploiteurs, de s'installer dans leur étrange et répugnante mission de colonisateurs.

Le Québec, trouvant sa source dans la colonie française en Amérique, puis devenant assujetti à la colonie anglaise, puis étant intégré en tant qu'actionnaire minoritaire dans la confédération canadienne, a connu toute une série de cassures, celles de 1760, de 1837, de 1867, de 1931, de 1948, qui ont établi une confusion capable d'embrouiller un Siegfried ou un Keyserling, et qui trouvent, dans un certain état policier récent, un épisode à la fois stratégique et tragique.

En littérature, ces « circonstances » font fermenter des séquelles aspectuelles complexes et souvent paradoxales, mettant à rude épreuve notre projet d'une syndromisation adéquate. — Notre poésie, particulièrement, souffre du complexe du chef-d'œuvre, et les critiques, professeurs et lecteurs déforment trop souvent les perspectives opératoires en exigeant la publication des pages choisies avant les autres ; chez le poète, cette « pression » entraîne souvent une inflation verbale, une enflure thématique, ou une complaisance dans l'imitation de soi-même ou des autres qui les privent de leurs meilleures et plus stimulantes chances.

Un autre complexe de l'écrivain québécois, dont l'aveu prend les allures d'une confession, c'est l'enthousiasme qu'il déploie à massacrer ses confrères, comme s'il disposait de miraculeuses et inépuisables réserves d'énergie, susceptibles d'encourager un tel et déplorable gaspillage. La jalousie et l'arrivisme, qui rongent et pourrissent le cœur d'un trop grand nombre d'écrivains québécois, encouragent à la fois une sorte de dédaigneuse indifférence envers les confrères, et une adulation exagérée du prestige magique des valeurs étrangères.

Nous pouvons encore mentionner, avant de clore ce bilan clinique par le diagnostic pertinent, le goût du gadget, de la nouveauté criante ou criarde, qu'il ne faudrait pas confondre avec l'entreprise salutaire de récupération des déchets d'une civilisation de la consommation et du tout-à-l'égout, telle que pratiquée par le *pop-art* américain ; l'exploitation artificielle des nouveautés dénote un comportement simiesque stérile et déclenche le conformisme de l'audace tapageuse, plus vain peut-être que le conformisme académique poussiéreux.

Le diagnostic, dans les circonstances nécessairement relativistes du syndrome, sera sec et frigide, comme un bistouri qui doit ou dit ignorer les palpitations de la chair qu'il tranche.

Toute la littérature québécoise, et particulièrement la poésie québécoise, s'appuie et s'enracine dans deux grandes coordonnées, celles de la résistance et de la survivance. Résistance, contre les forces envahissantes et aliénantes de l'extérieur, des « autres », des occupants ; survivance, contre son propre atavisme et sa propre épaisseur de silences. — Pour se poser dans l'existence, il faut s'opposer et s'imposer. — Fatiguée de survivre, la poésie québécoise veut désormais vivre ; épuisée de résister, elle se décide à ex-ister. — Le temps de l'évasion devient enfin celui de l'invasion. — Son langage, de plus en plus articulé, structuré et signifiant, déploie une thématique de plus en plus nuancée, complexe et dynamique. L'*homo-quebecoisis* dresse sa parole comme un flambeau, comme un drapeau, comme un couteau, et dans sa rage impatiente devant les échos sonores de son cri, vous pourrez trop facilement déceler, si vous y prêtez bien l'oreille du cœur, le sanglot ému qu'il éprouve en s'avouant enfin à lui-même qu'il est heureux de vivre chez-lui.